Votre balance vous parle

JOANNE SIMON

Votre balance vous parle

Contrôlez vos émotions
et vous contrôlerez votre fourchette

BÉLIVEAU
éditeur

Conception de la couverture: Jean-François Szakacs
Photographie de la couverture: iStockphoto

Tous droits réservés
©2015, BÉLIVEAU Éditeur

Dépôt légal: 1er trimestre 2015
Bibliothèque et Archives nationales du Québec
Bibliothèque et Archives Canada

ISBN 978-2-89092-698-1
ISBN Epub 978-2-89092-714-8

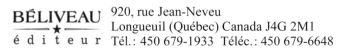

BÉLIVEAU   920, rue Jean-Neveu
—★—   Longueuil (Québec) Canada J4G 2M1
é d i t e u r   Tél.: 450 679-1933 Téléc.: 450 679-6648

www.beliveauediteur.com
admin@beliveauediteur.com

Gouvernement du Québec – Programme de crédit d'impôt pour l'édition de livres – Gestion SODEC – www.sodec.gouv.qc.ca.

Nous reconnaissons l'aide financière du gouvernement du Canada par l'entremise du Fonds du livre du Canada pour nos activités d'édition.

Imprimé au Canada

Table des matières

TROISIÈME PARTIE
ATTAQUEZ-VOUS AU VRAI PROBLÈME !

QUATRIÈME PARTIE
MAINTENANT, CONTRÔLEZ VOTRE POIDS...
ET VOTRE VIE!

Avant-propos

———————●———————

Dans l'univers des kilos en trop, la balance est reine et maîtresse. Au point où, parfois, nous avons l'impression que cet instrument exerce d'étranges pouvoirs sur nous! Notre poids est notre «carte de visite» la plus apparente. Lorsque nous nous présentons pour la première fois à quelqu'un, notre quotient intellectuel (QI) n'est pas la première information visible. Notre corps est notre fier représentant! Pas étonnant que certains cherchent tant à le peaufiner.

Les kilos en trop peuvent devenir un irritant. Mais il ne faut surtout pas qualifier de superficiels les gens qui se lancent dans la bataille des calories. Sous le couvert de l'anonymat de nos petits bourrelets se cachent d'étranges phénomènes. Comme la crainte de bouleverser notre quotidien, l'horreur à la pensée de perdre notre qualité de vie, ou la hantise de vivre de la frustration. Même l'angoisse de l'échec peut sournoisement s'immiscer dans la pénombre des rouages de la balance! Pas très réjouissant. Pourtant, le fait d'énumérer ces dangers potentiels est déjà un pas dans la bonne direction!

Pour certains, perdre du poids se compare à escalader une montagne dont le sommet est si élevé qu'il est invisible à l'œil nu. Ne serait-il pas normal de bien s'y préparer? Tous les projets que nous entreprenons demandent un minimum de planification.

Pourquoi en serait-il autrement lorsque l'on envisage une perte de poids? La raison est simple, c'est l'inconscience. Trop souvent, nous ne réalisons pas l'ampleur de la tâche! Elle est colossale, mais il y a de l'espoir!

Oui, il y a aussi un secret dans le domaine de la nutrition! La clé du succès réside dans la compréhension de ce qui nous attend, et de ce qui nous motive à atteindre notre but. Le meilleur moyen de réussir est d'abord la connaissance de soi. Tout ce que nous sommes vient interférer avec le processus de perte de poids. C'est ici qu'entre en scène la grande sphère des émotions. Nos peurs et nos craintes peuvent rendre le processus de perte de poids vraiment pénible. Alors que la confiance en soi peut faire exactement le contraire. L'impact peut être si bienfaisant et réconfortant, mais il peut aussi être… foudroyant!

Tout ce qui gravite autour de l'univers de la nourriture vient influencer notre relation avec la balance. Cet instrument peut nous torturer ou nous accompagner dans un cheminement serein vers l'atteinte de l'équilibre. Le juste équilibre entre le poids et la qualité de vie, entre la raison et les émotions. Le but de cet ouvrage est d'ouvrir nos yeux sur l'univers de la balance. Il est surprenant de constater à quel point cet appareil de mesure s'incruste dans notre vie personnelle. Croire que perdre du poids n'est qu'une simple question de calories est la première erreur commise par la plupart des gens. Avec un tel départ, l'essentiel du problème est relayé à l'arrière-plan. Si le problème sous-jacent n'est pas corrigé, le poids aura tendance à fracasser de nouveaux sommets!

Mais comment nos émotions peuvent-elles entretenir un lien aussi étroit avec la balance? Nos convictions personnelles, comme nos préjugés et nos idées préconçues se donnent le mot pour entrer en conflit avec l'instrument. Le mari qui croit avec certitude que sa chérie le fait grossir. La jeune fille qui accuse sa mère avec fermeté, affirmant que: *maman, c'est ta faute si je suis grosse!* Ou ceux qui sont convaincus que l'échelle du bonheur se mesure en kilos. Sans oublier la génétique, l'ennemi juré. Une réflexion s'impose, n'est-ce pas? Comment intervenir alors? Les calories, oui, mais dans la vraie vie… Peut-on simplement couper le pain pour se permettre du bon vin? Ou courir, courir, pour brûler la gâterie? Et si nos tentations sont notre raison de vivre! Quelle est la méthode pour affronter nos démons? Ces questions font frémir. Elles permettent de voir à quel point l'univers de la balance est vaste et complexe. Pourquoi ne pas prendre un moment pour s'attarder à ce nouvel aspect de nos petits bourrelets?

Perdre du poids, tout le monde peut le faire. Ne jamais le reprendre est le véritable défi. Pour réussir, il faut modifier nos habitudes alimentaires. Et le faire en évitant que notre poids devienne le centre de notre vie. Nos priorités doivent être dans le bon ordre! Le secret de la réussite est simple. Modifier les comportements qui nous font prendre des kilos... sans pour autant sacrifier notre qualité de vie! C'est la seule et unique façon de maintenir notre poids à long terme. Il suffit de prendre conscience des forces qui influencent notre fourchette! Et pour cela, nous devons absolument lever les yeux... et regarder ailleurs que dans notre assiette! Cessons de croire que la balance n'est qu'un chiffre, elle est un miroir... et elle nous parle!

Introduction

Perdre du poids impose d'aller puiser en soi une surprenante dose de détermination. Quelques pirouettes avec les calories peuvent assurément nous permettre de faire chuter nos kilos en trop. Mais tôt ou tard, le vrai défi nous rattrape: le maintien à long terme. Conserver notre poids n'est possible que si nous avons modifié les comportements responsables de nos petits excès... et c'est ici que la situation se complique!

Après avoir acquis une solide formation universitaire en diététique, je n'ai pu résister à l'appel criant des kilos en trop! La consultation en nutrition a été ma profession pendant vingt-trois ans, où j'ai été en contact étroit avec ce que certains appellent *l'instrument de torture*: la balance. Croyant à tort que les calories se laisseraient maîtriser sans riposter, j'ai rapidement été à même de constater les ravages que peuvent laisser des pertes de poids mal planifiées. Les histoires passées de mes clients révélaient des plaies béantes.

Voilà la clé: développer la notion de contrôle. Nous devons d'abord être bien entre nos deux oreilles... ensuite, la fourchette se contrôle presque toute seule! Les complications surviennent habituellement au moment où il faut conjuguer ces notions avec notre qualité de vie. Car c'est un fait, j'en fais une obsession! Nous devons impérativement conserver les petits plaisirs, ceux qui font de notre quotidien autre chose qu'une suite de journées sans intérêt.

Pendant cette période, des évidences me sont apparues. Les pièges qui se répètent sans arrêt ont été identifiés. Il faut accorder moins d'importance aux calories, et centrer nos efforts sur les comportements qui nous empêchent de nous prendre en main. Cette façon de procéder a fait ses preuves pendant de longues années en consultation individuelle. Maintenant retraitée, j'ai décidé de la partager. Quiconque a le moindre intérêt pour la balance sera interpellé par ce sujet et cette façon différente de voir les kilos en trop.

Cet ouvrage est un guide. Il met en lumière un grand nombre de situations qui sont susceptibles de se produire lorsque nous désirons perdre du poids. Le plus grand choc sera de constater que les problèmes ne proviennent pas toujours de la balance. Notre façon de voir les choses dans la vie influence grandement notre vision de notre poids. Donc, est-ce que limiter les calories règle vraiment tout?

Nous tenterons de répondre à quatre grandes questions qui, à première vue, ne sont aucunement liées à nos rondeurs. En cheminant, la relation deviendra évidente. Ce sont les quatre parties du livre. Qui sommes-nous vraiment? Comment croire que nous pouvons modifier nos habitudes alimentaires sans connaître nos forces et nos faiblesses? Nous devrons ensuite déterminer ce qui nous motive dans la vie. Parce que maigrir juste pour obtenir le bon chiffre sur la balance n'est vraiment pas inspirant. Perdre du poids représente beaucoup plus qu'un nombre, c'est une réalisation personnelle importante, et surtout très valorisante! La troisième partie nous entraînera encore plus loin afin d'attaquer le vrai problème! Il est parfois nécessaire de repousser nos limites dans les autres sphères de notre vie pour voir enfin des résultats sur l'instrument! Cela peut être très déstabilisant. Finalement, le but de ce cheminement est de nous amener à la dernière étape: contrôler notre poids... et notre vie! Le travail que l'on fait sur soi porte ses fruits, la récompense est magistrale!

Nous vivrons les péripéties de cinq individus, aux personnalités complètement différentes, qui entreprennent le grand rêve d'atteindre leur poids santé. Comment vont-ils se sortir des situations qui nous semblent sans issue? La petite Daphnée ne rêve que d'une chose: cesser d'être une cible à l'école. À onze ans, sa féminité cherche à s'exprimer, ce serait triste qu'elle soit refoulée pour quelques kilos. Le jeune avocat, Christopher, ne jure que par son image pour prendre du galon. Inutile de dire que les bourrelets sont à l'index! Michel est nouvellement retraité et, avec sa femme, les projets sont nombreux. Mais son médecin a jeté un voile sur son avenir en lui annonçant que sa santé cardiovasculaire était précaire. Le réflexe est immédiat, changement de programme, la perte de poids est la priorité du couple! Mais sa femme ne l'entend pas de cette façon. Florence, en femme d'affaires accomplie, échappe au stress quotidien grâce à son délicieux bordeaux. Terminer la journée sans lui est impensable. Sans compter que son conjoint la suit de près, les écarts ne sont pas tolérés! Tout le contraire de la jolie Maude, pour qui le célibat pèse lourd. Perdre ses kilos en trop devient son passeport vers un amoureux et une vie familiale. Tout un défi!

En nous lançant dans une perte de poids, nous nous exposons à mettre à jour des facettes de notre personnalité qui nous avaient échappé. Ces forces et faiblesses constitueront notre matière brute. Les thèmes que j'aborde sont les outils qui serviront à façonner nos comportements, à mieux comprendre les forces qui entrent en jeu avec la balance. Enfin, notre objectif est de maîtriser la notion de contrôle, apprendre à se satisfaire avec moins. Contrôlons nos émotions… et nous contrôlerons la fourchette! Il n'y a pas d'autre façon de préserver notre qualité de vie. Lorsque nous y parviendrons, le résultat se fera voir sur l'instrument! Parce que, en réalité, nous sommes avec la balance… comme nous sommes dans la vie!

PREMIÈRE PARTIE

QUI ÊTES-VOUS...
VRAIMENT?

Chapitre 1

Attendre le bon moment...
ça pourrait être long!

———————●———————

Je ne peux m'empêcher de noter son assurance lorsque Christopher s'introduit dans mon bureau. Assurément, le physique de cet avocat est irréprochable. *Sauf que ces quelques kilos en trop l'accablent*, me dis-je. Je le suppose, puisqu'il est assis en face de moi. Déjà, mon cerveau tente d'analyser les aspects les plus visibles de sa personnalité. Il est très volubile et semble en parfait contrôle de ses émotions. Ce gentleman de trente-quatre ans déborde de confiance en lui. Ce qui contraste étrangement avec la plupart de mes clients, qui souvent se retrouvent devant moi dans un piteux état, à la recherche d'une aide de dernier recours. Christopher est satisfait d'être ici, et surtout c'est son propre choix. Il semble qu'un surplus pondéral de douze kilos ne corresponde pas à l'image qu'il se fait de sa personne. De ce qu'il me raconte, c'est le seul petit inconvénient qui mine son esprit ces temps-ci. Mais la route vers le poids santé n'est pas encore tracée devant lui. Quoi de plus simple, il lui suffit de s'en procurer une, adaptée à ses besoins personnels.

Christopher a analysé le problème froidement et il a élaboré un plan détaillé d'intervention, accompagné d'un échéancier et d'un budget. C'est tout juste s'il n'a pas déjà noté dans les marges ses impressions personnelles. «Vous êtes la personne ressource qu'il me faut!» me lance-t-il avec bonne humeur. Je ne peux m'empêcher de penser: *Excellent! Il semble que nous nagions dans le positif! Combien de temps sera nécessaire avant que le ballon dégonfle!* Et il ajoute que, selon ses calculs, au rythme de un kilo par semaine, trois mois seront amplement suffisants pour afficher enfin son poids idéal. *Hum!* que je me dis, *il faudra prendre le temps de remettre les pendules à l'heure!* Mais ce n'est pas encore le moment, cela viendra bien assez vite. «Alors, dit-il, expliquez-moi ce que je dois faire!»

Voilà, les cartes sont étalées sur la table. Mais l'essentiel n'est pas encore visible, car ce que nous voyons n'est que l'endos, ce que Christopher veut bien laisser paraître. Sans aucune surprise, notre ami se révèle devant moi comme il le fait dans la vie, c'est-à-dire à petites doses. Bien sûr, ce mécanisme est inconscient, et nous le faisons tous, chacun à notre façon. Christopher collabore étonnamment bien. Sans sa précieuse participation, mon aide pourrait s'avérer totalement inefficace.

— Dites-moi, Christopher, vivez-vous en couple? qui fait la cuisine?

— Je vis seul, et j'adore faire à manger, mais je dois avouer que, souvent, le temps me manque, me raconte-t-il, appuyant graduellement ses avant-bras sur le bureau et s'agitant, signe flagrant de son intérêt.

— Ce surplus de poids, depuis combien de temps est-il présent, et avez-vous déjà fait des tentatives pour le perdre? Avez-vous engraissé soudainement ou, au contraire, l'augmentation a-t-elle été graduelle?

— J'ai commencé à prendre du poids à l'époque de mes études universitaires. Mais en arrivant sur le marché du travail, j'en ai pris conscience, on dirait. Mon apparence physique devenait plus importante, j'avais une image à préserver. J'ai sans cesse remis à plus tard.

Voilà que se dessine un parcours que rien ne distingue à première vue. Plusieurs personnes peuvent se reconnaître dans cette description. Par exemple, madame a pris un peu de poids à la suite d'une grossesse, ou monsieur a emménagé avec sa douce moitié et l'abdomen a pris du galon! Même l'arrivée d'un nouveau-né dans la maisonnée peut entraîner certaines modifications dans les courbes d'une personne! Et que dire d'une soudaine retraite, bien méritée, cela va de soi!

Ces changements dans notre rythme de vie font en sorte que la fourchette peut s'approprier une plus grande partie de notre temps. Si vous lisez ce livre, vous êtes déjà sensibilisé! Il se peut aussi que les minutes disponibles pour se dépenser physiquement deviennent une denrée rare, et brûler les calories superflues relève du défi. À certaines époques de notre existence, nous sommes plus susceptibles d'être les victimes de l'équation apport calorique/dépense énergétique. Alors, si votre tendance est de lever la fourchette plus souvent qu'à votre tour, et qu'en même temps vous favorisez la position assise ou couchée, vous gagnez le gros lot!

Mais arrive un matin où le chiffre sur la balance semble nous interpeller, comme si la gravité terrestre avait un message à nous transmettre! Le premier réflexe sera souvent de quitter le lieu maudit et de fuir cet instrument de malheur. Qui a envie de voir son petit équilibre quotidien modifié par une prise de conscience soudaine? Soit on laisse passer le train en se disant que ce n'était que passager, soit on monte dedans pour une destination inconnue. Pas facile cette décision, n'est-ce pas?

— Je peux vous dire que ça fait un bon bout de temps que cette idée me trotte dans la tête. Il fallait que je fasse quelque chose! explique Christopher, son sourire devenant soudainement moins éclatant, et son regard se faisant plus intense.

C'est précisément dans la profondeur de ce regard que l'on peut commencer à découvrir l'univers de Christopher. On peut supposer une certaine détresse quant à l'impuissance d'effacer ces kilos en trop. Pour notre avocat, aucune mise en demeure ne peut permettre de classer ce dossier Il est grandement temps de s'attaquer à cette plaie béante et de la ramener à ce qu'elle est réellement: un simple déséquilibre alimentaire.

***

Alors, qui est le mieux placé pour déterminer le bon moment? Votre médecin qui vous annonce une augmentation fulgurante de vos facteurs de risque cardiovasculaires? Votre conjoint qui remarque quelques nouvelles «poignées d'amour»? Votre meilleure amie qui «veut votre bien» et qui vous sert la vérité toute crue? Chacune de ces situations contribue à former la première ébauche de la motivation. Celle-là même qui sera à l'origine du grand tsunami intérieur qui bouleversera l'ordre des choses.

Mais l'ultime pierre angulaire de votre tremblement de terre intérieur ne repose que sur vos épaules. Parce que si, vous, vous n'y croyez pas, rien ne bougera. Mais voilà, tout le drame réside dans le fait que l'inconnu vous attend. Et comme votre cerveau déteste ce qu'il ne connaît pas, la résistance est parfois étonnamment coriace. Le seul moyen d'apprivoiser cette incertitude est de vous donner du temps. Et avec suffisamment de temps, vous finissez par accepter l'idée de vous jeter dans le vide! Donc, prendre le temps de laisser mûrir vos intentions est un gage de succès dans l'univers des kilos en trop. Il ne sert absolument à rien de vous précipiter la tête la première dans des changements alimentaires pour les mauvaises raisons, ou pour des raisons obscures.

***

Voilà, ça y est. Son sourire qui s'estompe et ce regard intense le confirment, Christopher commence à prendre pleinement conscience qu'il n'est pas avec des amis devant une bonne bière. À partir d'aujourd'hui, des changements vont s'opérer. Il s'apprête à voir la vie d'une façon différente. Il apprendra à réaligner ses priorités et connaîtra enfin ce qu'est le «vrai» contrôle de son existence. Déjà, il a de quoi être fier de lui. Le pire est fait, sa décision est prise.

Chapitre 2

Plaire... ou se satisfaire!

Nous discutons depuis un bon moment déjà et tout semble facile. Maude est le type même de la jeune femme de vingt-huit ans sociable, enjouée et très communicatrice de sa joie de vivre. Tout en répondant sans aucune gêne à mes questions, elle aborde sans détour les sujets qui la préoccupent davantage. C'est ainsi que j'apprends qu'elle est célibataire. Non pas que ce soit ce qu'elle désire, disons qu'elle doit s'y résoudre pour l'instant. Elle vit seule, mais par dépit, et une rencontre galante toute fraîche pourrait, me dit-elle, déboucher éventuellement sur une relation sérieuse. En fait, son âge lui fait peur et son désir le plus cher est de fonder une famille. C'est d'ailleurs ce qui a fait retarder sans cesse la prise de ce rendez-vous. «Pourquoi perdre maintenant des kilos si c'est pour les reprendre et les garder après une grossesse? Tout sera à recommencer, expose-t-elle. Mais, dites-moi, est-ce que ce serait préférable que j'attende, alors?»

Je m'empresse de la rassurer et de lui expliquer qu'apprendre à bien gérer son alimentation n'est jamais une perte de temps. «Voyez-vous, Maude, en apprenant à bien manger dès aujourd'hui, vous réussirez à contrôler votre poids beaucoup plus facilement pendant la grossesse, et vous saurez rapidement perdre les kilos superflus par la suite.»

Maude est venue me rencontrer pour une raison bien déterminée, et c'est à cet instant précis que cette jeune femme va choisir de se mettre à nu. Elle a noyé l'essentiel dans un flot incessant de paroles, c'était sa façon inconsciente d'apprivoiser la situation. Il faut l'avouer, la première rencontre a quelque chose de dramatique, puisque l'on a la vague impression d'aller sciemment se jeter dans la fosse aux lions! *C'est terminé,* pense-t-on, *elle va couper tout ce que j'aime! D'autant plus qu'il faut payer pour le faire!* Cependant, une bonne période de réflexion aura raison de toutes ces craintes. En fait, la peur est encore présente, mais disons simplement que nous sommes désormais prêtes à l'affronter pour arriver à nos fins.

— Ce qui m'a finalement décidée à entreprendre une démarche pour perdre du poids, c'est que, vous voyez... je crois qu'aujourd'hui c'est nécessaire d'éviter les kilos en trop! Les hommes qui ont de l'envergure ont énormément de choix, vous comprenez... alors, je sais ce que j'ai à faire! explique-t-elle en baissant la voix, comme si elle venait de découvrir un secret réservé aux initiées.

— Oui, je comprends très bien, Maude! Vous avez beaucoup de courage, ce n'est pas facile de changer nos habitudes alimentaires, c'est pourquoi il est impératif de trouver nos véritables motivations, les plus profondes. Parfois, nous ne voyons que ce qui paraît à la surface. Il faut gratter un peu pour les dépoussiérer, ces véritables motivations, cela demande un peu de temps, et là, surprise! L'essentiel apparaît. Par la suite, tout devient plus facile sur la balance... et dans la vie!

Elle hoche la tête d'un mouvement presque imperceptible, comme si elle voulait réduire au minimum les interférences pour ainsi capter toutes les subtilités de cette nouvelle version de la psychologie humaine! Cette jolie adjointe administrative ne mérite certainement pas de subir l'effet dévastateur d'une façon de penser qui la ramène au simple niveau d'un petit dessert sur un étalage au supermarché!

Maintenant qu'elle est rassurée quant au bien-fondé de sa démarche, il sera possible de poursuivre cette première étape, celle où son cerveau décidera s'il en vaut la peine ou non d'investir de l'énergie. Je n'insisterai jamais suffisamment sur l'importance d'une excellente préparation mentale dans les semaines qui précèdent la prise de décision. Il s'agit en quelque sorte de «mettre la table». Ensuite, disposer la nourriture au bon endroit devient je ne dirais pas «facile», mais le processus se fait davantage dans l'harmonie avec la motivation. Cela étant dit, il faut savoir que c'est au cours de ce premier face-à-face que l'on est confronté à ce qui nous attend en tant que candidats à la perte de poids. Et les attentes sont immenses! Parfois, comme Christopher, certains s'attendent à un résultat probant à l'intérieur de délais bien déterminés, selon leurs propres calculs. Poursuivre sur cette voie serait nier complètement le fait que, pendant le processus de changements d'habitudes alimentaires, des hauts et des bas surviendront. C'est inévitable. En fait, qu'on se le tienne pour dit, maigrir, c'est exactement comme dans la vie: il y a de bons jours et de mauvais jours!

Maude présente des attentes complètement différentes. Pour elle, le temps n'a aucune importance. Ses préoccupations sont d'un tout autre ordre et ce n'est pas le moindre. Le bonheur de sa vie future repose sur les kilos qu'elle réussira à faire fondre, rien de moins. Exposée de cette manière, la phrase semble caricaturale et la situation donne toutes les allures d'une aberration monumentale. Il suffit d'imaginer, ne serait-ce qu'un instant, l'ampleur de la charge que Maude a involontairement placée sur ses épaules. Et que dire de la pression subie par l'éventuel candidat, celui qui pourrait possiblement décrocher le prestigieux poste d'amoureux!

Justement, voilà un exemple d'où repose le piège de la balance. Elle semble inoffensive de prime abord, puis lorsque le chiffre augmente, le cerveau capte cette hausse et se met en ébullition. Dans les semaines qui suivent, la pesée devient un rituel quotidien, allant même jusqu'à pousser l'obsession au point d'y monter deux fois par jour. S'ensuit très rapidement une étrange sensation, celle que toute personne équilibrée veut éviter: l'impression de perte de contrôle.

Je dis «impression» parce que c'est exactement le cas. En réalité, tout individu a le contrôle de son poids, et cela, à tout moment dans sa vie. Il suffit de faire ce qu'il faut, et nul besoin de remuer ciel et terre pour y parvenir. J'irais même jusqu'à affirmer qu'il n'existe rien de plus démocratique que de se débarrasser de kilos superflus! En fait, la seule difficulté réside dans le fait que, comme dans toute situation de crise, le manque de perspective fait en sorte qu'un peu d'aide peut être nécessaire. La réalité ne nous apparaît plus dans sa vraie forme, une distorsion s'est installée et, si rien n'est fait, elle va persévérer. C'est de cette façon que Maude en est venue à relier son surplus de poids au fait qu'elle est toujours célibataire, au lieu de se retrouver dans une belle petite chaumière, entourée d'un mari aimant et d'une joyeuse marmaille!

— Dites-moi, Maude, vous travaillez dans quel secteur? Faites-vous du sport, quels sont vos loisirs? Parlez-moi de vous, de ce que vous aimez, que je lui demande, dans le but de connaître davantage cette jeune femme dynamique.

— J'aime bien m'entraîner! Je le fais depuis quelques mois et ça me fait vraiment du bien. Quand je reviens de ma séance, toute la pression de la journée est disparue, comme par magie! Et en plus, ça me permet de manger un peu plus de petites gâteries... sans me sentir coupable! J'ai travaillé fort pour les brûler, alors je me dis que je mérite de me récompenser, c'est génial, hein!

— Oui, je comprends très bien ce que vous voulez dire, Maude!

Elle poursuit en m'expliquant que les femmes n'ont pas le choix de s'entraîner, que celles qui ne le font pas s'exposent à voir leur corps en payer le prix. «Les hommes vont toujours préférer celle qui n'arbore pas de bourrelets s'ils ont le choix entre deux femmes, m'explique Maude avec conviction, je le sais, je l'ai vécu tellement souvent! C'est une roue qui tourne, expose-t-elle, avoir un corps sans surplus de graisse donne un air de jeunesse, de santé... et c'est ce qui accroche l'intérêt des hommes! Même les femmes vont développer plus facilement des liens avec celles qui paraissent bien! C'est fou, n'est-ce pas?»

J'écoute avec intérêt tout ce que Maude me confie, car c'est bien de cela qu'il s'agit, de confidences. Elle n'expose pas ainsi ses pensées et ses convictions à la première venue. La jolie jeune femme de vingt-huit ans qui est assise devant moi se sent en terrain ami, je ne suis pas là pour la juger. Elle a une certitude : l'évaluation de son physique n'est pas un élément qui entrera en ligne de compte dans notre relation, contrairement à ses collègues au bureau. Maude a enfin trouvé la personne qui peut la comprendre. *Comment pourrais-je ne pas y arriver,* croit-elle, *n'êtes-vous pas celle dont le rôle est justement d'aider les femmes à mieux paraître?*

Je choisis de ne pas préciser ma pensée pour l'instant, même si je suis convaincue qu'elle comprend vaguement que quelque chose doit changer. *Mais comment traduire cette réalité dans ma vie de tous les jours?* se demande-t-elle probablement, et avec raison d'ailleurs. L'important, c'est que, aujourd'hui, cette petite brunette repart avec de la matière qui demande réflexion, son premier devoir, en quelque sorte. Parfois, il suffit que quelqu'un étale les faits devant nous pour qu'une simple idée abstraite devienne enfin une réalité quotidienne. Nous aurons tout le temps d'approfondir la question lorsque la démarche de perte de poids évoluera. Maude devra comprendre que sa seule motivation doit être son propre bien-être. Sinon, le processus sera à recommencer sans arrêt, le jeu du «yo-yo» s'installera et n'en finira plus.

Perdre du poids pour soi, et non pour les autres, elle le sait déjà, j'en suis convaincue. En ce moment, cette notion n'est qu'une petite graine bien enfouie au fond de sa belle personnalité. Maude apprendra comment le faire, et mon rôle est de la guider dans ce processus. La route ne sera peut-être pas facile, elle est pavée de sacrifices et de remises en question. Ne l'oublions pas, il s'agit de modifier notre conception de ce qui nous motive à perdre du poids. Et, qu'on le veuille ou non, les racines sont plus profondes qu'un simple tour de taille! Elles peuvent même remonter jusqu'à l'enfance, qui sait?

Non, il ne faut pas croire qu'il s'agit d'une mer calme, il vaut mieux se préparer à de bonnes vagues qui s'agitent! Conséquence du choc de certaines idées préconçues bien ancrées, avec une réalité désormais plus optimiste. D'ailleurs, n'est-ce pas de cette façon que l'on chemine dans la vie, en confrontant nos craintes et nos angoisses? Que cache donc cette peur d'être soi-même? Cette obligation de plaire à l'autre, coûte que coûte? Même au prix de se dénaturer complètement? L'essentiel est d'être convaincu que ces efforts ne seront pas vains; en conséquence, la récompense sera immense. Et le résultat ne se résume pas qu'à un chiffre en kilos. La réalité est qu'en même temps que Maude apprendra à contrôler ses calories, elle comprendra qu'elle n'a pas à choisir entre «plaire à la gent masculine» et «se satisfaire dans la bouffe». Elle aura désormais le choix, mais avec une nouvelle vision! Au cours des prochaines semaines, elle devra apprendre à «se plaire» et «se satisfaire sans culpabilité!»

Chapitre 3

Chérie, arrête,
tu me fais grossir!

Déjà, la dynamique se dévoile lorsque Michel prend la parole et précise les raisons de leur présence ici. «Le médecin m'a appris tout récemment que mon cholestérol était trop élevé, commence-t-il, mais il semble qu'en plus mon surplus de poids contribue à le maintenir au-dessus de la normale. Selon le médecin, si je veux me donner une chance, je dois absolument perdre du poids.»

Michel comprend très bien la situation, et il semble déterminé à faire ce qu'il faut pour s'assurer une retraite où les problèmes de santé ne deviendront pas un handicap à son bonheur. «Une vingtaine de kilos à perdre, dit-il, ce n'est quand même pas la mer à boire!»

Il poursuit son petit monologue, et j'apprends enfin le nom de cette jolie dame: Marie-Line. Elle suit nos propos avec intérêt et hoche la tête occasionnellement en guise d'approbation. Même un œil non averti peut manifestement remarquer que cette dame effacée n'a nul besoin d'une diète amaigrissante.

— Vous allez voir, je n'aurai aucune difficulté à suivre vos instructions. Je suis un homme très déterminé! me confie Michel avec assurance.

— D'autant plus qu'il s'agit de votre santé. Vous avez ici la meilleure motivation au monde, que j'ajoute avec enthousiasme.

— La retraite nous permet maintenant d'avoir une vie plus rangée et de nous attaquer à notre problème! continue Michel. N'est-ce pas, Marie-Line?

— Oui, tu as tout à fait raison, chéri, le moment est venu... confirme sa douce moitié.

Est-il vraiment nécessaire de souligner quelques faits qui semblent parler d'eux-mêmes? Que dire du «nous» très inclusif de Michel et la réponse sans conviction de Marie-Line? Ce détail attire toute mon attention. Le modèle se reproduit systématiquement. Toute tentative d'impliquer Marie-Line dans la discussion se révèle un échec parce que Michel accapare le droit de parole. Il y a quelque chose qui cloche, mais je n'arrive pas à mettre le doigt dessus. Michel répond sans aucune réticence à mes interrogations sur son historique médical! Il devient de plus en plus évident que son sujet de conversation préféré est, on le devine aisément, lui-même!

J'entreprends avec eux, ou plutôt, avec lui, l'étape suivante. Je fais en sorte d'élaborer un plan adapté au style de vie de Michel, de façon à éviter tout changement drastique dans ses habitudes. Je note que mon client revient à la charge sur un point en particulier. Il est quand même étonnant qu'il revienne sans cesse sur l'aspect médical.

— Vous êtes certaine que ça va fonctionner? me demande Michel avec une insistance démesurée.

— Il y a une condition primordiale : je ne peux le faire à votre place!

— L'enjeu est majeur, on parle ici de ma santé. Vous rencontrez habituellement des «petites madames» qui ne veulent que perdre quelques centimètres à leur tour de taille. Moi, je suis un cas particulier, je suis différent. C'est ma santé qui est en jeu, il ne faut pas l'oublier. Alors, Marie-Line, tu vas devoir modifier ta façon de cuisiner, parce que c'est clair qu'il y a un problème! lance-t-il d'une voix dure et autoritaire.

— Je comprends très bien ce que vous voulez dire.

Il faut absolument crever cet abcès. Et là, il y a toujours Marie-Line qui performe en jouant le rôle d'un portrait accroché dans le coin de la pièce. *Revenons à la base et tentons de découvrir ce qui accroche avec notre ami,* que je me répète sans cesse, convaincue que la clé de l'énigme se rapproche graduellement.

— Michel, le fait d'avoir un taux de cholestérol élevé ne vous entraîne pas automatiquement vers l'infarctus.

— Essayez-vous de minimiser la gravité de mon état? On parle ici de vie ou de mort, rien de moins, et je ne suis pas prêt à mourir! expose Michel avec un léger tremblement dans la voix et une mine complètement déconcertée.

— Je vais vous expliquer dans quelle situation vous vous trouvez et, je vous l'assure, vous n'êtes nullement à l'article de la mort!

L'état d'esprit de Michel devient plus compréhensible, et la raison de cette soudaine volte-face me saute au visage. Mon client a peur de mourir! Bien entendu, nous nourrissons tous cette crainte. Mais lui, il la vit de façon viscérale, et le lien qu'il fait entre son hypercholestérolémie et son décès éventuel dépasse la logique. Les émotions ont pris possession de son cerveau et l'accaparent totalement. Le seul plan qui tienne pour l'instant est celui-ci: désamorcer cette bombe émotionnelle. Je suis armée jusqu'aux dents d'un calme qui, je l'espère, contribuera à le rassurer. Le champ de bataille est tendu, et il n'y a toujours aucun mouvement dans le coin de la pièce. Certains dommages collatéraux prennent forme: Marie-Line est paralysée.

«Le cholestérol n'est qu'un facteur de risque, comme tous les autres. Plus vous avez de ces facteurs qui s'additionnent, plus vos probabilités de faire un infarctus augmentent. Et ils sont nombreux, comme un surplus de poids, le manque d'exercice physique, le diabète… et même le fait d'être un homme! Par contre, il y a une bonne nouvelle! En travaillant sur plusieurs de ces facteurs, les risques cardiovasculaires diminuent», dis-je en insistant davantage sur cette phrase. Et j'ajoute, en pesant bien mes mots:

«Vous vous préparez à utiliser toute votre énergie pour changer vos habitudes alimentaires; cela permettra de contrôler le taux de cholestérol et de perdre du poids en même temps. Si vous le désirez, vous pouvez aussi prendre l'habitude de marcher quelques kilomètres par semaine, ce qui n'est pas si difficile, n'est-ce pas? Quant au fait d'être un homme, c'est une question hormonale, on ne peut rien y faire!»

Quelques secondes interminables s'écoulent. «Je suis vraiment désolé, vous savez, j'étais conscient que la mort m'effrayait, mais pas à ce point! Je crois que j'avais besoin d'être rassuré…» Mais voilà que Marie-Line choisit d'entrer en scène par la grande porte! La jolie dame pleure à s'en fendre l'âme devant nos yeux exorbités. «Que se passe-t-il, Marie-Line? que je lui demande, complètement stupéfaite. Ne vous inquiétez pas, tout va bien aller pour Michel.» Elle a décidé que le moment était enfin venu d'occuper pleinement son espace.

«Si vous saviez à quel point je suis découragée de l'avenir qui m'attend… coupable de tous les maux de mon mari… et destinée à subir toutes les privations moi aussi… même si ma santé va très bien… Dites-moi, c'est ça, la retraite dorée? Je vous en prie, donnez-moi de l'espoir…»

L'explosion devait se produire, c'était nécessaire que toute cette pression soit évacuée. Marie-Line subit les propos accusateurs et culpabilisants de son mari depuis le moment où le cholestérol est entré dans leur vie. À Michel, j'explique qu'il devra désormais apprendre à se prendre en main, que lui seul est responsable de sa santé, comme de toutes ses décisions, d'ailleurs. J'expose à Marie-Line une toute nouvelle façon de penser: «Rien ni personne ne peut vous empêcher de manger ce que vous désirez, même les pires gâteries! Vous êtes maître de votre fourchette, ma chère!»

Chapitre 4

Maman, c'est ta faute
si je suis grosse!

Rencontrer une professionnelle pour perdre du poids à la préadolescence n'est pas l'activité préférée des jeunes filles! Les formes rondes de Daphnée sont évidentes au premier coup d'œil. Ce qui n'a probablement pas échappé aux yeux scrutateurs de ses compagnes et compagnons de classe. Mais maman n'est pas en reste! Bien entendu, la mère n'est pas le sujet de la consultation, comme elle le souligne elle-même, «c'est la petite qui a un problème»!

— Pour quelle raison viens-tu me rencontrer? Qui voulait venir? Toi ou ta maman?

— Depuis la maternelle, les autres rient de moi et ils m'appellent tout le temps «la grosse». J'ai dit à ma mère que je voulais maigrir pour être comme les autres, moi aussi. Elle m'a dit que, si je voulais, on pourrait venir te voir et que tu pourrais m'aider. C'est vrai ça? Juste me dire comment maigrir pour que je puisse avoir plein d'amis, raconte Daphnée, me donnant l'impression que son être en entier crie «à l'aide».

— Oui, je peux t'aider! Et nous allons le faire ensemble, toutes les trois! Je ne te dis pas que c'est un projet qui va être facile, par contre, mais tu as l'air décidée!

— Tu vois, chérie, je t'avais dit que c'était une bonne idée de venir! Elle va t'apprendre tout ce qu'il faut savoir pour que tu arrêtes de prendre du poids! Nous avons enfin trouvé la solution à tes problèmes, Daphnée! s'exclame la maman, maintenant libérée d'un gigantesque poids sur ses épaules.

Je note au passage les fréquentes allusions de la mère, Andréanne, sous-entendant que la petite est responsable de sa prise de poids. Pourquoi suis-je surprise à chaque fois? Mais le moment n'est pas encore venu de clarifier la situation.

«De votre côté, madame, comment se comporte votre poids?» Je lis la surprise sur son visage! *Qu'est-ce que mon poids vient faire dans tout cela?* se demande-t-elle probablement. Je suis persuadée qu'elle se sent attaquée. Le sentiment de culpabilité que les femmes éprouvent si facilement ne peut qu'être amplifié lorsqu'il est question de leur progéniture. Andréanne fait passer le bien-être de sa petite loin devant le sien. Son propre poids ne représente pas un problème, mais elle remuerait ciel et terre pour prendre sur ses épaules le fardeau de sa fille. Il est primordial que maman prenne conscience que sa façon de gérer son poids aura un impact sur l'attitude qu'adoptera Daphnée dans tout le processus.

«Comprenez-moi bien, je n'affirme pas que vous devez maigrir, vous aussi! Il est question de votre attitude, ce qui signifie qu'il faudra vous montrer positive quant à votre image, assumer votre corps et être en harmonie avec vous-même. Daphnée doit comprendre que, peu importe le chiffre sur la balance, elle doit être fière de la personne qu'elle est. À onze ans, elle a besoin d'un modèle, quelqu'un en qui elle peut avoir une confiance totale… Et qui d'autre que sa mère peut assumer ce rôle? C'est une énorme responsabilité, comme toutes les autres qui viennent avec la vie des parents.»

— Je crois que je commence à comprendre, on ne fera pas que calculer les biscuits au chocolat, on ira plus loin? demande la mère avec un intérêt grandissant.

— Si nous voulons modifier des habitudes alimentaires, il faut jouer sur tous les tableaux.

S'accepter d'abord pour ensuite travailler à améliorer certains aspects de notre personne, comme le poids. «Demander une telle chose à une adulte relève du défi, l'exiger d'une enfant est irréaliste, pensez-vous. En fait, le but est de travailler dans cette direction, c'est un processus de longue haleine, disons simplement que nous établissons les bases!» Andréanne commence graduellement à saisir les défis qui surgissent devant elle en tant que mère.

— Ma mère en met trop dans mon assiette et elle m'oblige ensuite à tout manger! Et il y a toujours plein de chocolat et de croustilles dans l'armoire! commence Daphnée, démontrant une bonne dose d'acrimonie.

— Daphnée, change de ton! Je ne te tiens pas la main pour aller dans l'armoire et grignoter!

Une lutte de pouvoir s'engage sous mes yeux. La mère et la fille déjà en opposition! Chacune de ces affirmations, aussi crue soit-elle, contient une base de vérité qu'il ne faut pas négliger. Eh oui, faut-il être surpris? La réalité qui émane de cette situation est chose courante... le vrai problème de Daphnée, c'est sa mère! Cette affirmation mérite, bien entendu, d'être nuancée et expliquée! Daphnée devra compenser le fait que sa mère se soit délestée de son rôle de guide. Les mots doivent être bien choisis pour situer Andréanne.

— C'est dans la nature de l'enfant de s'aventurer dans le garde-manger. Le rôle du parent est de corriger le tir, d'expliquer qu'on vient à peine de sortir de table, pas de collation tout de suite!

— Comment puis-je lui dire «non», elle me dit qu'elle a faim! J'aurais l'impression de la priver de nourriture!

— Rappelez-vous les réactions de bébé lorsque le moment de couper un «boire» arrivait, en particulier celui de la nuit! Je vous parie que votre sommeil a été perturbé par ses pleurs. Pourtant, vous avez persévéré. Parce que vous saviez que c'était ce qu'il fallait faire. Je vous demande de reprendre confiance en vous et d'être le guide de Daphnée. Vous devez prendre vos responsabilités pour son alimentation... comme vous le ferez lorsqu'elle commencera à sortir avec ses amies! Elle aura une heure de retour prévue, croyez-vous qu'il n'y aura pas d'étincelles parfois?

— Oui… je commence à comprendre.

Andréanne mesure l'ampleur de la tâche qui l'attend. Daphnée est maintenant convaincue qu'elle n'est plus toute seule dans son petit univers effroyable. Elle a une alliée de poids… celle qui l'a mise au monde et qui veillera sur elle encore longtemps! La mère et la fille sont maintenant bien en selle pour entreprendre les défis qui les attendent!

Chapitre 5

Sur les traces de
papa et maman

———————◉———————

Rien ne vaut une bonne période de négativisme pour faire ressortir toutes les difficultés qui peuvent surgir. Reste ensuite à relativiser les choses! m'a déjà brillamment souligné une amie psychologue. En somme, il est possible que le sceptique soit mieux préparé à affronter la réalité que le jovialiste, dans le domaine de la perte de poids, du moins!

Il est donc très probable que ma nouvelle cliente, Florence, n'a pas encore franchi le pas déterminant, celui qui fera en sorte que tout n'est pas noir! *Avec un pessimisme pareil, je me demande comment elle a réussi à se rendre jusqu'ici!* me dis-je en écoutant les objections qu'elle sert à chacune de mes interventions.

— Quel tableau vous semble le plus problématique? Les boissons alcoolisées, les desserts, les portions? que je lui demande pour sonder son état d'esprit.

— Vous n'y arriverez pas, je tiens à ma qualité de vie, on ne peut pas perdre du poids sans tout sacrifier! Mon médecin m'a suggéré de maigrir et je suis venue constater que ça ne fonctionnera pas! répond Florence d'un air détaché.

Arborant fièrement ses quarante-deux ans, Florence semble être victime bien malgré elle des nombreux changements hormonaux qui se produisent dans son corps. Je ne parle pas de caractère ou d'attitude! Cette période correspond au début d'une baisse marquée du métabolisme chez les femmes, entraînant par le fait même des risques plus élevés de prise de poids. Si la femme continue d'absorber le même nombre de calories avec son métabolisme qui diminue, alors le chiffre sur la balance s'énerve et augmente! *Je ne comprends pas ce qui m'arrive. Je mange comme avant, mais j'engraisse!* me racontent régulièrement, et avec raison, des femmes dans la quarantaine. En leur apprenant qu'il existe une explication logique à tous leurs déboires, elles sont rassurées, mais il n'en demeure pas moins qu'il faut agir avant que la prise de poids n'atteigne des sommets vertigineux! En comprenant ainsi le phénomène, elles se retrouvent dans une bien meilleure position pour entreprendre des changements alimentaires.

— Florence, ceci n'est qu'un défi supplémentaire à relever. Le stress fait partie intégrante de votre style de vie, et vous avez développé des mécanismes pour le gérer. L'apéro après le boulot et les trois verres de vin au souper sont «votre façon de décompresser». Je suis consciente que ces consommations ont un rôle à jouer dans votre équilibre. C'est la raison pour laquelle je vous propose une petite négociation!

— Eh bien… ça commence à être intéressant! Mes parents géraient l'entreprise familiale et j'ai grandi en les voyant se transformer de «totalement épuisés» à «revigorés» en quelques minutes grâce à un petit verre d'élixir magique! Ça m'a toujours semblé être la formule gagnante… et ça fonctionnait pour moi aussi!

— La différence est que, maintenant, la potion magique semble vouloir s'en prendre à vos mensurations! De la graisse abdominale qui fait frémir votre système cardiovasculaire! Appelons cela un effet secondaire non négligeable! Vous êtes désorientée et négative parce qu'on entre dans un domaine qui vous est inconnu. Mais si vous vous investissez dans le projet, vos chances de réussite sont excellentes! Et vous seule bénéficierez des résultats!

En réalité, entreprendre une démarche pour perdre du poids ne diffère en rien d'autres décisions que nous prenons dans notre vie. Qu'il soit question de choix de carrière, de budget... même l'achat d'une auto passe par la même évaluation. Nous estimons d'abord les ressources nécessaires pour atteindre l'objectif, et nous décidons ensuite si l'effort et le coût en valent la chandelle! Parfois, la décision est reportée à plus tard ou carrément mise de côté. *La nourriture est rattachée à une tonne d'émotions,* pensent certains. Mais je connais bien des gens pour qui leur voiture aussi soulève un certain embrasement!

— Qu'en est-il de votre conjoint? Pouvez-vous compter sur son appui?

— Il serait ravi de me voir maigrir! Si vous entendiez les commentaires qu'il fait lorsque je prends un dessert devant lui... alors j'en profite lorsqu'il n'est pas là!

Une femme d'affaires qui réussit dans la vie doit assurément être dotée d'une force de caractère hors du commun. Sa réussite le prouve, d'ailleurs. Cette femme est une mine de potentiel, rien ne peut l'arrêter lorsque sa décision est prise. Mais voilà, il semble que, pour l'orienter vers un plan alimentaire, nous allons devoir pousser un peu la machine dans la bonne direction!

En fait, la vraie question est celle-ci : *est-ce qu'une personne peut démontrer une différence extrême entre sa vie professionnelle et le domaine personnel?* La femme autonome et confiante rentre à la maison et doit se cacher pour savourer un dessert, craignant les réprimandes d'un conjoint contrôlant! Tout l'opposé de la femme déterminée! Quel rôle joue ce conjoint inflexible? Est-il un facilitateur ou, au contraire, une barrière à l'épanouissement de Florence?

Si une personne assise près de vous s'acharne à calculer le nombre de bouchées que vous ingurgitez, n'allez surtout pas croire que c'est pour votre bien. Au contraire, soyez convaincu qu'il s'agit de ses propres objectifs. Cette personne a peut-être avantage à ce que vous arboriez moins de bourrelets, qui sait? Le résultat reste le même, il faut perdre du poids, dirait-on. Alors quelle différence? Justement, elle est énorme, cette différence!

Les personnes qui vous entourent doivent vous donner l'énergie dont vous avez besoin pour poursuivre vos objectifs, et elles doivent le faire en vous encourageant dans votre démarche. Ce n'est certainement pas en punissant vos erreurs qu'elles augmenteront votre confiance et qu'elles vous inciteront à persévérer!

***

Les formes arrondies de Florence semblent l'avoir suivie depuis toujours, ne soulevant aucune interrogation. D'ailleurs, chacun des membres de la famille arbore fièrement ses kilos en trop! La bouffe occupe une place de choix pour ventiler le stress dans cette famille… tout comme les boissons alcoolisées! La dynamique développée par les parents se perpétue chez les enfants qui en viennent, eux aussi, à trouver réconfort et apaisement dans l'assiette. Le manque d'information est habituellement le grand responsable des surplus de poids qui se transmettent de génération en génération. D'autant plus qu'une composante génétique vient parfois agrémenter le tout; la vigilance est de mise, cela va de soi.

Dans son esprit d'enfant qui a grandi dans ce contexte, qu'y a-t-il de mal à porter quelques kilos en trop? Alors, rien ne justifie toutes ces privations! Pourtant, la situation se complique. La vie avec un conjoint qui donne l'impression de contrôler la fourchette de l'autre commence à peser sur l'état mental de Florence. Elle n'a rien connu de semblable auparavant, puisque la nourriture a toujours été synonyme de liberté et de soulagement. Mais, logiquement, n'existe-t-il pas une «zone idéale» entre ces deux extrêmes? La situation devient plus claire, les pièces se placent sur l'échiquier et le tableau prend forme.

Chapitre 6

Solutions radicales :
le poids en chute libre

« Le bonheur vous attend dans huit semaines ! » Bienvenue dans le merveilleux monde des diètes miracles ! Comment ne pas se laisser tenter par ces illusions si douces aux oreilles de ceux qui n'en peuvent plus de se regarder dans la glace ? Pour certains, tous les moyens sont bons pour arriver à leurs fins et arborer un physique digne de leurs aspirations. Il n'est donc pas étonnant qu'après avoir pénétré ce monde rempli de promesses, il soit si difficile d'en sortir. Les tentatives et les échecs se succèdent, nous recommençons, en nous promettant que cette fois-ci sera la bonne. Mais chaque fois, quel malheur, le poids perdu est repris ! Si, au moins, le chiffre sur la balance s'arrêtait là. Comme l'aiguille de l'horloge, le temps semble jouer contre nous, incontrôlable. Devant cette fatalité, il n'existe que deux possibilités : remonter dans le manège ou abandonner… jusqu'à la prochaine fois. L'histoire se répète, puis l'épuisement survient. Et le poids devient notre ennemi juré. Bienvenue en enfer… le yo-yo n'est plus amusant du tout.

Si vous êtes du nombre de ceux qui ont goûté l'amertume de ces situations aberrantes, vous savez ce que cela signifie. À l'image de Maude, vous avez sans doute attribué vos échecs à des erreurs commises de votre part. Vous éprouverez un grand soulagement en apprenant qu'en fait vous n'êtes aucunent responsable. Malgré ses vingt-huit ans, notre jeune adjointe administrative a accumulé un nombre impressionnant de mauvaises expériences dans ses relations avec la balance! Presque autant qu'avec ses conquêtes amoureuses!

— Maude, le fait que vous avez essayé autant de diètes montre à quel point vous êtes déterminée à perdre du poids. Vouloir rencontrer la perle rare n'est peut-être pas étranger à votre motivation!

— Les premières fois, c'était génial parce que je maigrissais à vue d'œil! Je plaisais beaucoup plus aux hommes! me raconte Maude avec excitation.

— Que se passait-il lorsque vous cessiez la diète? que je continue, pour vérifier ce qu'elle a compris du phénomène.

— Je sais, ça aurait dû aller tout seul! On dirait que je me suis remise à manger. Je voyais mon poids augmenter à vue d'œil, c'était horrible!

Le cas de Maude est typique et représentatif de ce que vivent les hommes, mais surtout les femmes, lorsqu'elles intègrent le cercle infernal des diètes miracles. Inutile de préciser qu'avant de sauter à pieds joints dans des changements d'habitudes alimentaires, il faut d'abord recoller les «morceaux» de la confiance en soi et rebâtir l'estime. L'importance de mettre en perspective ces mauvaises expériences est primordiale. En d'autres mots, qui a envie de prendre un bon verre de lait s'il a encore en mémoire le lait suri de la semaine dernière! La nouvelle démarche que nous entreprenons est différente, le passé ne se répétera pas.

Il semble que la femme d'affaires à l'apéro s'engage dans la grande aventure avec une longueur d'avance! Mais, justement, qu'est-ce qui l'a préservée des échecs répétés des diètes miracles? La réponse que j'obtiens lorsque je lui pose la question est quelque peu surprenante.

— Je n'avais jamais songé à suivre une diète auparavant. Je me trouvais parfaitement bien et je n'étais pas différente du reste de la famille. Mais depuis quelques années, je gravis rapidement les échelons dans le domaine des affaires et le bavardage s'est emballé. Alors, je me dis qu'en perdant du poids je ferais taire ces langues venimeuses.

— Que pense votre conjoint de cette démarche? Y est-il pour quelque chose?

— Quel homme ne rêve pas d'avoir à ses côtés une femme aux formes parfaites! Je le comprends... Si j'étais à sa place, je penserais comme ça, moi aussi!

— Vous auriez pu être attirée par les promesses de perte de poids rapide des régimes miracles pour régler vos problèmes, vous n'y avez pas pensé?

— Oh oui! Je vous l'assure! Le médecin m'a conseillé de maigrir au moment où tous ces irritants commençaient à m'agacer royalement. Tout était une option pour moi. La nutrition ne fait pas du tout partie de mes compétences, alors je sentais le besoin d'être accompagnée. Je ne m'imaginais pas toute seule dans cette jungle.

Le portrait qui se dégage est donc celui-ci: la jolie Maude en quête d'amour a tout essayé pour se libérer de ses kilos en trop, et elle en a payé le prix fort. Florence, dont la carrière est florissante, était sur le point de succomber à la pression, mais il semble qu'elle évitera le pire. Ces deux femmes, pourtant si différentes, ont beaucoup plus en commun qu'il n'y paraît: le désir de perdre du poids. Cet objectif semble anodin et inoffensif, cependant, il possède un pouvoir phénoménal du fait qu'il peut faire de notre vie un véritable calvaire, ou au contraire, une expérience enrichissante.

La vraie motivation à maigrir doit provenir de nous. Par contre, la pression extérieure est toujours présente et il est primordial de pouvoir composer avec elle. Encore faut-il l'avoir bien identifiée au départ. Ces influences extérieures peuvent parfois frôler la limite du supportable. Certains prendront ainsi la décision d'opter pour les solutions miracles et mettront le pied dans l'engrenage.

Tout débute de façon anodine, avec une diète qui promet une perte de poids rapide. Les habitudes alimentaires ne sont nullement prises en compte ou évaluées. L'apport calorique fourni est très restrictif, mais nous ne nous attardons pas à ces détails! Pourtant, la clé du problème s'y trouve! Puis, le chiffre magique semble nous sourire, la gravité nous pèse de moins en moins. Encouragés par ces débuts prometteurs, nous redoublons d'ardeur et nous en oublions presque la privation totale de tout ce qui fait plaisir à notre palais. Mais ce n'est rien, l'instrument va du bon côté et la motivation est à son comble. Lorsque notre objectif est atteint, terminée la diète! Enfin, nous allons pouvoir manger ce que nous aimons! Depuis le temps que nous nous privons, nous le méritons! Graduellement, la balance nous fait le pire coup, et le poids augmente.

Le fait d'entreprendre une diète très restrictive entraîne notre métabolisme vers une chute non souhaitable. Notre corps s'adapte avec le peu de calories que nous lui fournissons et réussit à survivre. C'est un stress majeur, et lorsque nous augmentons les calories de nouveau, il se protège en augmentant ses réserves. En d'autres mots, il engraisse! Avec la diète sévère, nous avons dit à notre corps que nous étions en famine. Alors, il économise son énergie pour fabriquer de la graisse et se protéger de la prochaine restriction calorique. Le corps humain est ainsi constitué, et il a survécu des siècles de cette manière. Une fois le métabolisme diminué, il est extrêmement difficile de le ramener à la normale. Si les diètes sont répétées, notre corps refuse de maigrir et engraisse dès que nous lui donnons un petit surplus de calories. Se priver des aliments que nous aimons crée inévitablement des frustrations. Celles-ci deviennent alors incontrôlables et entraînent une remontée de notre poids. Ainsi fonctionne la roue. Elle est extrêmement logique, raison de plus pour éviter de s'y frotter.

Les raisons pour perdre du poids sont multiples. Habituellement, elles prennent leurs racines là où nous sommes les plus vulnérables: dans notre estime de soi. De quelle façon peut-on éviter cette route tortueuse? Des informations justes et objectives sur les conséquences qu'elles entraînent resteront toujours la meilleure assurance contre les dérapages. Le plus important n'est pas de perdre les kilos le plus rapidement possible, mais de nous assurer qu'ils ne reviendront plus nous hanter!

Chapitre 7

Affronter ses démons...
la première manche

———————————

Notre rituel avec la balance est très révélateur de l'opinion que nous avons de notre poids, mais il ne dit pas tout. Nous attaquer au langage non verbal dans cette situation pourrait être étonnant! Croyez-vous que retenir votre souffle influence vraiment le chiffre qui va apparaître? Le fait d'y monter tout doucement, pour éviter de surexciter le mécanisme, va-t-il limiter les dégâts de la veille? Toutes ces attitudes insolites montrent clairement que le poids peut prendre une dimension insoupçonnée dans notre imaginaire. La taille des vêtements est un langage universel, semble-t-il. Rien n'est plus concret pour mesurer les résultats d'efforts soutenus pour maigrir.

En fait, si le maintien d'un poids idéal était chose facile, tout le monde y arriverait sans difficulté. La dose recommandée pour aujourd'hui, madame, est la suivante: quatre éléments du groupe des produits céréaliers, deux du groupe des produits laitiers, sept fruits et légumes. Et n'oubliez pas les trois viandes et substituts, d'une simplicité élémentaire, pourrait-on croire.

Lorsqu'il est question du poids, tout semble revêtir des proportions surdimensionnées. Certains individus ont cette étonnante capacité de gérer leur poids avec objectivité. Ils réussissent à dissocier les émotions des kilos et ils parviennent à régler la situation comme un problème mathématique! Dites-moi ce que je dois faire et je le ferai.

D'entrée de jeu, nous pouvons supposer que Christopher est le parfait représentant de la logique et de l'autonomie. Il n'a besoin que des outils et du mode d'emploi, pourrais-je affirmer sans trop me tromper. Par contre, sa faiblesse se situe davantage au niveau de l'encadrement. Ses parents ont assumé ce rôle à la perfection, son défi sera de prendre la relève. En somme, le jeune avocat devra, comme un enfant, apprendre tout d'abord à marcher avec de l'aide et seul par la suite.

— Maintenant, Christopher, vous savez un peu mieux ce qui vous attend, qu'en dites-vous? que je demande après lui avoir longuement expliqué les étapes à suivre.

— Comment saurons-nous alors si tout se déroule comme prévu? demande-t-il, visiblement tenaillé par le fait de devoir évoluer sans un échéancier précis.

— Lorsque vous allez entrer dans mon bureau, je vous poserai la question: «Et alors, Christopher, comment ça se passe?» Je saurai immédiatement où vous en êtes!

— Que voulez-vous dire? Juste avec cette question vous pouvez savoir? lance-t-il, totalement incrédule.

— Si vous répondez: «Ça va vraiment bien» alors, je saurai que nous sommes sur la bonne voie, peu importe le nombre de kilos en moins. Par contre, si la réponse est: «Ouf! je trouve ça vraiment difficile», ce sera le signe que nous devons revoir certains éléments. Vous devez être parfaitement à l'aise avec vos nouvelles habitudes alimentaires, c'est la seule garantie de succès. Donc, même avec cinq kilos en moins, si vous n'êtes pas à l'aise, ça ne sert à rien de poursuivre dans cette direction parce que le projet est voué à l'échec.

***

Dans le cas de Maude, les démons qu'elle aura à affronter sont plus subtils. Nous entrons dans le vaste domaine de la confiance en soi. La jeune adjointe administrative en quête de romantisme ne réalise pas encore que ses motivations peuvent suffire à court terme, mais qu'elles seront rapidement déficientes. Perdre du poids pour avoir accès à un échantillonnage de candidats plus palpitants peut servir de bougie d'allumage à la motivation. Mais tôt ou tard, la jolie Maude devra puiser en elle la justification des efforts à venir. Maigrir pour les autres, peut-être… mais il est utopique de croire que l'on peut se maintenir, car le long terme exige des fondements inébranlables. Les autres ne font plus le poids! Beaucoup de travail en perspective, et pas seulement dans l'assiette!

***

Dans le cas de Michel et Marie-Line, les démons qu'ils auront à affronter pour arriver au bout de la route leur sont propres à chacun. La situation démontre clairement un malaise chez Marie-Line, et travailler les calories de Michel sans tenir compte de l'état d'esprit de sa femme serait une aberration. Tous les deux entrevoient la démarche de perte de poids de façon complètement différente. Le succès n'est possible qu'à condition de réussir à concilier les deux positions. «Que diriez-vous à Marie-Line si elle se permettait un dessert gourmand pendant que vous vous contentez d'un fruit?» ai-je demandé à Michel. Sa réponse m'a laissée perplexe. «Elle doit comprendre que ce n'est pas facile pour moi, elle va devoir faire un effort pour m'aider.» La décision de perdre du poids est la sienne, sa femme peut le soutenir et l'accompagner, mais en aucun cas ce ne doit être une obligation! Marie-Line gagnerait à s'affirmer davantage, mais nous entrons dans un univers complexe qui ne pourra être réglé en totalité par une diète!

***

Je mise sur la maturité de Daphnée pour évoluer vers une plus grande maîtrise de sa fourchette. Étrangement, elle est mon meilleur atout pour parvenir à inculquer un nouveau sens des responsabilités à sa maman. Elles auront fort à faire pour rétablir les ponts avec la discipline! Andréanne doit encadrer sa fille et lui servir un «non» catégorique au moment opportun; rien n'est plus sécurisant pour un enfant que des balises claires! Les défis de Daphnée sont énormes. À onze ans, les occasions où elle se retrouvera seule avec le plein pouvoir sur les aliments se multiplieront. Son autonomie sera mise à rude épreuve, avec l'adolescence et l'influence des amis, l'avenir promet de nombreux défis à cette jolie demoiselle. Mais elle aura la chance d'avoir appris tôt l'art de bien équilibrer son alimentation.

***

Florence affiche ses propres faiblesses. Il lui faudra défricher la route elle-même et choisir la bonne direction. Ses parents avaient opté pour l'alcool et la nourriture pour échapper au stress du quotidien, son désir d'explorer d'autres avenues est tout à son honneur.

— Mes petits verres de vin me font du bien au souper! Ils me ramènent au niveau «zéro anxiété»! m'explique-t-elle.

— Nous en reparlerons, Florence, mais j'aimerais que vous réfléchissiez à une autre activité qui vous procure autant de bien-être, et qui ne relève ni de la bouffe ni de l'alcool.

Quant à son conjoint, l'avenir nous permettra de préciser davantage si le contrôle qu'il exerce sur l'assiette de Florence est sain ou non. Pour l'instant, laissons planer le doute… même s'il est plutôt persistant!

***

Voyant toutes ces considérations, nos amis semblent mal en point! Mais il n'en est rien. Au fil de la démarche, la lumière éclairera davantage chacune de leur situation et, pendant ce temps, le poids diminuera. Y a-t-il meilleure façon d'assurer le maintien? Une fois l'objectif atteint, ils connaîtront parfaitement bien leurs faiblesses et pourront enfin les combattre au lieu de les manger! Il peut sembler superflu de nous attarder ainsi à nos pensées intérieures avant de nous aventurer dans l'univers de la balance. Des bases solides sont indispensables si l'on envisage des résultats permanents. Avant de pousser la machine à fond, il faut nous assurer d'avoir le vent dans le dos!

En résumé, la décision doit d'abord être mûrement réfléchie, pour déterminer le moment propice. Ensuite, il faut nous assurer d'avoir la capacité de gérer l'entourage. Nous arrivons rarement à changer ceux qui partagent notre quotidien, c'est une question d'adaptation! Puis, établir des objectifs réalistes est essentiel. Sinon, nous sommes voués à la déception, car perdre du poids est une montagne russe. Comme la vraie vie! Nos forces et nos faiblesses sont nos outils, bien les connaître est essentiel pour nous attaquer à la balance. Lorsque nous sommes convaincus de répondre à tous ces points, il est alors possible de dire: «Oui, je sais qui je suis… vraiment!»

DEUXIÈME PARTIE

QU'EST-CE QUI VOUS ALLUME DANS LA VIE?

Chapitre 8

Maigrir... pourquoi déjà?

Il est possible que l'idée que nous avons de nous-mêmes ne reflète pas tout à fait la réalité. Sous-estimer certaines qualités et en surestimer d'autres est chose courante et ne pose pas un problème en soi. L'important n'est pas ce que nous croyons que nous sommes, mais ce que nous sommes vraiment!

En fait, «la volonté est un processus où l'on doit faire une série de pas l'un après l'autre», que je souligne à ces gens qui ont juste besoin de croire en eux davantage. Faut-il s'inquiéter de ne pas maîtriser toutes les réponses aux questions sur la connaissance de soi? Et si la démarche de perte de poids faisait justement partie de ces expériences de vie qui nous permettent de cheminer? Une ouverture sur autre chose que le superficiel en quelque sorte. De la même façon, la personne qui a une idée préconçue au départ pourrait la voir se transformer au fur et à mesure des difficultés de la perte de poids. L'exercice du questionnement sur soi initial est une alerte, mettez tous vos sens en éveil, vous allez apprendre des choses sur vous-même qui vous surprendront, provoquant ainsi l'ouverture nécessaire au changement des habitudes alimentaires.

Le moment est venu de passer à l'étape suivante. Déterminer les vraies raisons qui nous poussent à perdre du poids. Nous questionner sur nos motivations réelles à maigrir est passionnant! Inévitablement, les réponses, d'abord superficielles, se métamorphoseront en réflexions beaucoup plus profondes. Un exercice à expérimenter dans toutes les sphères de notre vie. Cette nouvelle vision du poids désiré est rafraîchissante, elle vient bouleverser l'image que nous avons de nous-mêmes et entraîne dans son sillage une énergie bouillonnante. Il n'en faut pas plus pour voir se développer les changements alimentaires et les consolider pour qu'ils soient permanents. La frustration d'avoir à recommencer sans cesse des régimes sévères n'aura plus lieu d'être, car les racines du poids qui augmente auront été traitées. Il suffira d'arroser son petit jardin et de l'entretenir régulièrement.

Ce concept de «motivation réelle» peut paraître bien abstrait à première vue! Trop souvent, nous tenons pour acquis qu'il suffit de manger moins pour maigrir. Mettre les pendules à l'heure s'avère parfois nécessaire, même si cela suppose un réveil brutal!

***

Daphnée et sa mère expérimentent les premières étapes de notre plan alimentaire depuis deux semaines. Chaque pas en avant nous permet de voir un peu plus loin, et cette nouvelle perspective amène son lot d'incertitudes.

— Daphnée, as-tu l'impression que c'est très difficile... trop difficile même?

— J'ai triché quelques fois. Je n'en ai pas parlé aux autres. Ils vont me demander sans arrêt si j'ai maigri!

— Très bonne décision! On s'est dit que l'on ne visait pas de perdre du poids, mais de stopper la montée! Ta période de croissance va bientôt débuter et ton corps va prendre de nouvelles proportions en grandissant. Tu te fais un beau cadeau, à toi. Dis-toi que tu as tes petits défis, et que tout le monde en a! Tu as la chance d'avoir une maman super! Et tu sais qu'elle sera toujours là pour t'écouter lorsque c'est plus difficile.

La complicité s'installe entre les deux, c'est essentiel pour le bon déroulement du processus. Elle contribuera de façon non négligeable à la reconstruction de la confiance en elle de la petite. C'est ce qui constitue le fondement de sa motivation. Sauf qu'elle n'en sait rien encore! Son but est louable: se faire des amis. Mais il passe inévitablement par l'affirmation de sa personnalité. Un petit bijou se cache derrière ses jolis yeux bruns, il me tarde de le voir briller au grand jour. Elle n'est déjà plus la même! Disparue, la petite fille triste et anxieuse d'il y a deux semaines! Bien entendu, elle est bien entourée des quatre murs de mon bureau, d'une maman attentionnée et d'une professionnelle qui peut comprendre ce qu'elle vit. Ce n'est qu'un début, mais c'en est un excellent!

— Andréanne, comment réagissez-vous lorsque Daphnée traverse un moment difficile?

— J'avais peur d'intervenir de la mauvaise façon. Je trouvais qu'elle abusait avec les biscuits au chocolat, alors je lui ai conseillé de réfléchir avant d'en prendre un autre, que c'était assez!

— Elle a dû s'opposer, j'en suis convaincue, que je demande avec un léger sourire.

— Elle pleurnichait en racontant que ce n'était pas facile pour elle...

— Il va y avoir d'autres moments creux comme ceux-là, il faut apprendre à les traverser en limitant les dégâts. Se laisser aller dans les biscuits ne réglera rien! Vous avez fait exactement ce qu'il fallait faire, Andréanne. Puis, m'adressant à la petite: «Tu comprends, Daphnée, ta mère le fait pour ton bien. Plus tard, tu pourras te contrôler toute seule, mais pour l'instant, tu peux compter sur elle pour t'épauler.»

— Je vais essayer d'être moins dure avec maman la prochaine fois que les biscuits vont trop me tenter!

La démarche est bien amorcée, chaque obstacle sera décortiqué et nous évaluerons les solutions une à une. Il n'y a pas de recette miracle, c'est la façon de procéder lorsque l'on désire «personnaliser» un plan alimentaire. Il est fondamental de pouvoir compter sur la collaboration du sujet. Cette partie est parfois défaillante chez certains clients. Il ne faut surtout pas croire que tous les cas sont des contes de fées comme celui-ci. L'horreur fait aussi partie de la réalité!

En particulier chez ces petites filles qui sont entraînées de force dans l'abîme des régimes amaigrissants par des mères peu scrupuleuses. Souvent, ces parents déversent leur frustration sur une petite fille qui mériterait, au contraire, toute l'attention du monde pour préserver son estime. Les petites grandissent dans un environnement où le poids devient un ennemi de tous les jours, et le corps en est le champ de bataille. Cette incessante guerre contre les kilos, menée par des mercenaires, ne peut que laisser des cicatrices permanentes sur le corps des jeunes filles, mais surtout dans leur esprit. La première relation qu'elles établissent avec leur corps en est une de dégoût et de rejet. L'image qu'elles ont d'elles-mêmes est pitoyable. Est-il surprenant qu'elles permettent aux autres de les traiter comme telles?

Des années peuvent passer avant que ces femmes blessées ne commencent à établir aujourd'hui des liens avec leur quête d'amour et d'attention. Les batailles d'hier s'éternisent et se transforment pour s'immiscer dans le quotidien et le rendre infernal. Le désir de perdre du poids doit toujours être pris au sérieux, et traité comme tel. Derrière la balance peut se cacher un monde d'émotions refoulées. Les saisir n'est pas chose facile, mais la récompense n'est pas qu'un chiffre en kilos. Perdre du poids en harmonie avec soi-même peut être une expérience mémorable! Voilà la raison pour laquelle nous ne répéterons jamais suffisamment: *maigrir... pourquoi déjà?*

Chapitre 9

Ma personnalité révélée…
par ma fourchette!

Avant d'ouvrir la bouche, nous étalons déjà à notre auditoire une partie de ce que nous sommes! Le non-verbal, c'est bien connu, révèle son lot d'information. Le domaine de la nutrition ne fait pas exception à la règle! «Notre fourchette, mesdames et messieurs, est tout aussi révélatrice que notre poignée de main!» Encore faut-il savoir interpréter ces précieuses informations.

Mais est-ce que cette observation doit se limiter au moment où nous tenons entre nos mains l'instrument, c'est-à-dire la fourchette? En fait, nous parlons constamment de bouffe! La télévision nous inonde de recettes, les livres des grands chefs sont accessibles plus que jamais, les repas entre amis… Avec ces nouvelles occasions de baigner dans le monde merveilleux des aliments vient la multiplication des tentations. Il y a fort à parier que notre vraie nature abattra quelques barrières pour se montrer telle quelle, dans toute sa splendeur!

Nous adorons voir ce que les autres mangent… et quelle quantité! Lors de ma première année à l'université, je suis appelée à prendre un dîner rapide dans le centre commercial tout près. C'est l'heure de pointe du midi, peu de tables sont disponibles et une gentille dame demande à prendre place avec moi. «Alors, vous êtes étudiante dans quel domaine?» me demande-t-elle. «Je suis en première année de diététique», que je lui réponds en observant sa réaction. Plus un son ne sort de sa bouche. Elle a les yeux rivés sur mon inoffensive petite poutine! Ce moment de bonheur est gravé dans ma mémoire à jamais. Car aucun cours théorique au baccalauréat n'explique le fait que, désormais, chères étudiantes, vos assiettes et paniers d'épicerie seront scrutés à la loupe!

Ce petit moment de vie a signé le début d'une nouvelle réalité pour la spécialiste en nutrition que je m'apprêtais à devenir. Je venais de constater sur le terrain que le concept de poids englobe tout un univers, dont les limites s'établissent beaucoup plus loin que le simple calcul de calories. Ce que j'ignorais, par contre, c'est que j'allais perfectionner l'interprétation de ces observations pendant les vingt-cinq prochaines années! L'expérience m'a appris que l'on ne traite pas un problème de poids avec comme seule donnée un chiffre sur une balance. Des informations cruciales restaient inconnues. Comment pouvait-il en être autrement? Le candidat lui-même les ignorait! En fait, la personne devant moi avait des choses à raconter, je devais apprendre à les décoder.

***

Christopher est un brillant avocat. La logique habite cet homme, ses émotions sont maîtrisées, tout dans sa vie respire l'équilibre. Pourquoi en serait-il autrement avec sa fourchette?

— Y a-t-il des aliments qui vous font perdre le contrôle totalement et qui vous font vraiment du bien?

— Le chocolat, j'adore! J'ai vraiment l'impression que ça me remet sur pied!

— Lorsque ces occasions se présentent, jusqu'à quel point allez-vous abuser?

— Toujours dans des limites raisonnables. Je ne comprends pas mon surplus de poids. J'ai essayé de couper complètement le chocolat... et mon poids n'a pas baissé. C'est illogique!

Le cas de Christopher est typique et n'a rien d'étonnant. Il n'y a rien de plus logique! De façon inconsciente, il arrive à profiter des bonnes choses sans toutefois en abuser au point de laisser des traces sur la balance. N'est-ce pas l'objectif poursuivi par la majorité des gens? Incroyable! Pour lui, c'est inné! Et qu'a-t-il fait au juste pour mériter cette facilité? En inculquant à leur fils la notion d'équilibre et de contrôle, les parents de Christopher lui ont donné de solides bases pour gérer son avenir, et cela, à tous les points de vue. De la même façon qu'il est du ressort des parents d'enseigner à leurs enfants qu'il ne sert à rien de taper sur les gens pour s'exprimer, ils lui ont appris que le contrôle est de mise partout! C'est donc dire que, pour ce jeune professionnel, la gestion des émotions ne passe pas par la fourchette!

Il sait faire la part des choses et comprend que «manger ses états d'âme» ne le rendra pas plus serein. Je ne suis pas certaine qu'il comprend lui-même cette grande particularité qu'il possède. Alors, comment aurait-il pu m'expliquer que c'est de cette façon qu'il gère son alimentation? C'est mon rôle de capter les messages et les signes qui indiquent sa façon d'interagir avec la bouffe! Par la suite, il suffit de lui en faire prendre conscience, pour renforcer les bons réflexes et atténuer ceux qui ne jouent pas en sa faveur.

Qu'arrive-t-il alors si nous sommes de ceux qui utilisent la fourchette pour dompter les émotions? Peut-on nous démasquer aussi facilement par nos gestes anodins? Les réponses à ces questions sont plus subtiles, elles sont tout en nuances.

***

Florence utilise quelques verres de vin pour se libérer de son stress quotidien. Est-ce si grave? La clé réside dans le contexte global de cette consommation, et des raisons font en sorte que ce comportement se répète. Maude ingurgite un plein sac de croustilles le lundi soir. «C'est le jour de la réunion hebdomadaire, alors en revenant, je prends ma gâterie...» La promesse des croustilles qui l'attendent est la motivation qu'il lui faut pour traverser cette journée. Qui pourrait douter que ce comportement soit révélateur? Ce ne sont que des aliments, après tout!

***

La personne elle-même ne peut soupçonner ce que cachent ces gestes insignifiants. Nous les ignorons parce que nous ne les croyons pas pertinents. Pourtant, ces gestes regorgent d'informations essentielles à bien cerner l'ensemble de la problématique. C'est à travers ces détails que nous pouvons remonter aux sources. Avant de compter les calories, il serait pertinent de nous attarder à certains de nos comportements. Ils peuvent être présents depuis tellement longtemps que nous n'y portons même plus attention. Mais ils ne sont pas normaux pour autant.

Notre manière de consommer certains aliments avec compulsion, ou de nous cacher pour avaler une gâterie, ou de nous en priver pour ensuite nous en gaver, ou de faire des reproches à ceux qui mangent ce que l'on s'interdit, tout cela mérite notre plus grande attention. Ce sont des pistes que nous devrons suivre inévitablement… alors autant nous ouvrir les yeux rapidement.

Chapitre 10

Manger ses temps libres

Bien qu'en théorie nous ayons plus de temps libres, il n'en reste pas moins cette étrange impression d'en manquer continuellement. Examiner de plus près ce qu'il en est nous permet de mieux situer nos priorités. Ainsi, la maman n'hésitera pas à sacrifier tous ses moments de répit à ses enfants, papa optera peut-être pour des rénovations. D'autres investiront leur temps dans le perfectionnement, ou à maintenir leur apparence en bon état. C'est dans cette optique que s'inscrit ma seconde rencontre avec Maude. La saga des croustilles du lundi soir a allumé des lumières rouges!

— Ces réunions du lundi semblent vous abattre. Que s'y passe-t-il?

— Les exigences de mon patron sont inhumaines. Je n'ai pas droit à l'erreur!

— Ces craintes ont-elles toujours été présentes, même dans vos emplois précédents?

— Je tombe constamment sur des patrons trop exigeants! Peut-être devrais-je changer de travail? me demande-t-elle, révélant son manque de confiance.

— Prenons le temps d'analyser un problème à la fois, nous y verrons plus clair!

Alors que ce fameux soir devrait absolument être utilisé à relaxer, Maude semble le dévorer sans contrôle! Voilà des temps libres drôlement utilisés! Cette jeune femme, pour perdre du poids, n'aurait tout simplement qu'à faire une croix sur les croustilles du lundi soir. Notre jeune adjointe administrative n'est pas une femme stupide, elle a donc essayé à maintes reprises cette tactique. Bien entendu, ses motivations personnelles n'étaient pas tant le maintien d'un taux de cholestérol adéquat que l'impact sur la gent masculine de ses nouvelles formes! Peu importe, le manque de motivation n'était certainement pas le problème.

— J'ai tenté de couper ces excès du lundi soir, je n'avais pas le choix puisque toutes les diètes que j'entreprenais l'exigeaient! m'explique Maude.

— Et combien de temps avez-vous tenu comme cela, à laisser la frustration vous pourrir la vie?

En baissant les yeux, Maude semble revivre ses cauchemars alimentaires. Comme la rescapée d'une guerre qui n'en finit plus, ses blessures sont encore bien présentes. Elle est à la recherche d'alliés, d'une stratégie différente. Bien entendu, avec l'admission de la défaite vient toute une série de qualificatifs pas très glorieux, tels que je n'ai pas de volonté, j'échoue partout…

— Lorsque j'arrive à la maison, je m'installe sur le canapé. Et là, j'engouffre un sac entier de croustilles, expose Maude sans émotion, avec un regard étonnamment vide.

— Comment vous sentez-vous lorsque tout ce stress est évacué, à quel point en est votre moral alors?

— Juste vidée, plus d'émotions, plus de stress… plus rien. Le lendemain, ma vie reprend, je souris à tout le monde, j'essaie de plaire… termine-t-elle, levant lentement ses yeux vers moi dans l'attente de voir si je peux faire quelque chose. Réussir où elle a échoué.

Rien n'est simple dans le désir de perdre du poids. Des détails peuvent prendre une dimension inimaginable et ne pas en tenir compte reviendrait à placer un diachylon sur une hémorragie! Est-il erroné de croire que nous avons tous notre «lundi soir» de temps à autre? Ces périodes sombres témoignent d'un malaise. Heureusement, nous n'avons pas atteint cette limite, ce serait tellement dramatique! Rien n'est plus trompeur que de sauter trop rapidement aux conclusions. Le fait d'observer les aberrations chez les autres, pour ensuite nous comparer, nous permet de statuer que, finalement, tout va bien de notre côté! Est-ce vraiment le cas? Les fringales en soirée devant le téléviseur alors que l'on sort à peine de table sont notoires. Les gourmandises ingurgitées lorsque nous sommes en attente d'un appel ou d'une réponse vous rappellent-elles quelque chose? Ces détails peuvent nous sembler anodins, par contre, ils sont révélateurs d'indices importants.

— Est-ce différent lorsque vous êtes dans une relation amoureuse, Maude?

— Lorsque j'ai un copain, je ne suis pas toute seule. C'est certain que je n'oserais pas montrer ce côté de moi, il pourrait croire que je suis une goinfre incontrôlable.

Maude révèle inconsciemment les éléments clés de son combat contre les kilos en trop. Cette jeune femme brillante vibre au diapason d'une rencontre amoureuse ultime. En fait, la présence de ce but gigantesque occulte pratiquement tout l'espace dans son quotidien. Cette préoccupation constante ne lui semble pas nocive, n'est-il pas légitime de vouloir rencontrer l'homme de sa vie pour enfin fonder une famille? Le raisonnement de Maude n'est pas mauvais en soi, il n'est que démesuré.

L'équilibre est l'élément manquant. L'importance donnée au besoin de plaire aux autres est frappante dans le cas présent. Qu'il soit question d'un éventuel amoureux ou de son patron, cette jeune femme dilapide toute son énergie à tenter de combler les attentes des gens qui l'entourent. Ses efforts pour plaire à son supérieur ne devraient-ils pas se limiter aux heures de travail? Et les préoccupations de séduction ont leur place dans son espace social, pourquoi se prolongent-elles jusqu'au salon? Ces aberrations n'ont aucune raison d'être, parce qu'en fait les temps libres de Maude doivent lui appartenir! Chaque croustille ingurgitée a pour fonction de désamorcer ses frustrations refoulées. Comme cela ne fonctionne pas, elle répète la procédure jusqu'au fond du sac. Chaque semaine. Sauf lorsqu'un prétendant lui redonne confiance en elle temporairement et apaise sa souffrance. Voilà le drame des abus du lundi soir.

Manger ses temps libres sonne une alarme. Il est grand temps de rééquilibrer la place de chacune des sphères de notre vie. Nous accorder des périodes qui nous permettent de jouir d'activités qui nous font du bien est primordial. Une tâche colossale attend Maude, elle devra réussir un tour de force. Trouver un passe-temps qui lui plaît, à elle. Tout faire pour plaire aux autres est bien, mais se plaire à soi-même est encore mieux.

Chapitre 11

Délicieuses tentations,
vous êtes ma raison de vivre

————————————————

Cette fois, il n'est pas nécessaire d'être spécialiste en décodage du langage non verbal pour lire le mécontentement chez Florence! Les recommandations insistantes de son médecin constituaient l'unique raison de sa présence à notre première rencontre et son conjoint semblait ajouter une pression supplémentaire. Essayer, juste pour voir ce que cela donne, n'est certainement pas une attitude prometteuse.

Nous étions parvenues à établir les bases d'un nouveau mode de pensée où Florence semblait comprendre les vrais enjeux. La personne qui ne se sent pas encore prête à s'investir dans un défi personnel comme une perte de poids trouvera sans cesse des gens qui se feront un plaisir de la convaincre de l'inutilité de ses efforts. N'est-il pas réconfortant de savoir que les autres aussi ne se précipitent pas sur le champ de bataille? Le fait d'entendre un nouveau son de cloche peut être déterminant pour ces personnes. Graduellement s'amorce une nouvelle façon de voir les choses. Les anciennes images de soi sont bousculées et l'envie de changer les choses peut finalement se manifester. C'est souvent ce qui se produit avant d'entreprendre un nouveau plan alimentaire.

Ce processus est tout, sauf uniforme et constant! Donc, il n'y a rien d'étonnant au fait de retrouver Florence dans cet état, après l'avoir laissée rayonnante de conviction. Comme dans tout autre processus d'apprentissage, il y a de bons jours et des jours exécrables! Apprendre à composer avec ces montagnes russes d'émotions est vital au bon déroulement de la suite. Même notre quotidien devient plus supportable si nous acceptons le fait qu'il y a des hauts et des bas.

— Alors, Florence, comment se sont passées les deux premières semaines?

— C'est l'horreur! Je ne suis pas surprise, j'aurais dû m'écouter au départ.

— Vous avez pris une excellente décision de revenir malgré votre déception. Cela fait partie du processus, nous avons encore des choses à travailler.

Elle désire poursuivre, mais elle ne le sait pas encore. Elle attend une main tendue pour traverser une zone inconnue.

— J'ai suivi le plan à la lettre! J'ai même coupé et mangé moins que ce qui était écrit! Pas une once en moins! Je me suis obstinée pendant quelques jours, puis je suis retournée sur la balance. Et encore rien!

— Vous vous êtes réconfortée dans la bouffe!

— Les cinq derniers jours ont été pires qu'avant! Les desserts, l'alcool. J'essaie de me contrôler, mais je n'y arrive pas!

Le résultat sur la balance ne montre aucune perte de poids. Ce qui arrive à Florence semble aberrant. Elle est manifestement ouverte à comprendre ce qui se passe, alors je poursuis. «Vous avez suivi le plan à la lettre... et en coupant davantage.» Dès qu'elle a quitté le bureau la dernière fois, elle a complètement évacué de son quotidien tout ce qui ne relevait pas du Guide alimentaire. Pendant près de deux semaines, elle a rayé toute calorie vide. Comme le font souvent celles qui entreprennent une diète restrictive. Est-ce vraiment étonnant d'une femme qui a l'habitude d'attaquer de front toutes les barrières qui se dressent sur sa route professionnelle? Nos comportements alimentaires sont le reflet de notre personnalité, ne l'oublions pas!

«Perdre du poids, ce n'est pas comme un petit plat que l'on met au four, avec la certitude qu'il sera prêt dans trente minutes! que je commence. Il y a des hauts et des bas, il ne faut pas abandonner en cours de route! Rappelez-vous toutes les étapes franchies pour en arriver où vous êtes aujourd'hui. Il n'y a jamais eu de déceptions, de moments où vous avez dû vous relever et recommencer?» L'objectivité reprend ses droits graduellement. «Voulez-vous vraiment abandonner?» Je dois pouvoir compter sur son engagement total, sinon, il est inutile de poursuivre, le processus sera voué à l'échec. La combattante reprend du service, la vraie Florence est de retour. N'empêche qu'elle ne comprend toujours pas ce qui s'est passé. Par quelle espèce de magie peut-on respecter un régime à la lettre et ne pas maigrir pendant près de deux semaines. Ce questionnement signe son entrée officielle dans le merveilleux monde des kilos en trop.

Tous ces mécanismes sont voués au respect d'un objectif: préserver la vie. Croyant accélérer la perte de poids, Florence a dramatiquement coupé ses apports en étant plus sévère que le plan, se retrouvant alors sous un seuil critique. Le corps a restreint ses dépenses énergétiques. D'où l'absence de perte de poids. Après sa grande déception, Florence s'est remise à manger de plus belle. Le corps ayant été privé, il a activé ses mécanismes de protection... et il a profité des calories supplémentaires pour accumuler davantage de graisse. Donc, si notre femme d'affaires avait poursuivi sur cette lancée, le chiffre sur la balance se serait affolé à la hausse. «Je crois que vous avez énormément appris aujourd'hui... même si l'aiguille n'a pas bougé!»

Ne jamais bannir complètement nos délicieuses tentations, parce qu'elles nous attendront de pied ferme au détour! Nous avions déjà discuté de ce phénomène aberrant, mais le concept restait théorique. Nous priver des aliments qui nous procurent une certaine douceur crée une grande frustration. Et celle-ci n'attend que le premier moment de faiblesse pour nous exploser en plein visage.

Il fallait s'y attendre, cette femme de tête devait tenter d'imposer ses propres règles de discipline. Pour maigrir plus vite, il suffit de couper davantage, y compris les gâteries, lui disait sa logique. Elle est maintenant en mesure de constater l'étendue des dommages lorsque la qualité de vie est complètement balayée du paysage! Le plan de base, établi selon le Guide alimentaire, n'est qu'une partie de la stratégie de perte de poids, et c'est la plus facile. Le vrai défi consiste à gérer nos petites douceurs, celles qui font de notre vie autre chose qu'une suite d'obligations. Ces délicieuses tentations sont la pierre angulaire d'un fragile équilibre, et ne pas en tenir compte serait une grave erreur. Mieux vaut en prendre conscience dès le départ!

Chapitre 12

Dois-je mourir pour maigrir?

———————————————————

Comment se fait-il que l'on attribue autant de pouvoir à la balance? La piste la plus probable réside encore une fois dans notre relation avec la fourchette. Certains diront que, plus la bouffe occupe une place importante dans notre vie, plus les impacts d'un régime amaigrissant sont perçus de façon dramatique. Voilà pourquoi il est primordial de connaître ce qui nous allume dans le quotidien!

Certaines périodes de notre vie semblent présenter un rythme accéléré. Il y a fort à parier que, si cette situation est la vôtre, ce qu'il y a dans votre assiette n'est pas le centre de votre univers. Au contraire, la remplir devient un souci à gérer qui s'additionne à tout le reste. Devoir restreindre les calories pour perdre du poids prendrait une signification logistique. *De quelle façon vais-je m'y prendre pour concilier cette nouvelle exigence dans ma vie?*

Tout l'aspect émotif relié aux aliments est balayé par la réalité d'un quotidien bien rempli. Chez ces personnes, il y a de fortes chances que l'aliment revête sa vraie signification, c'est-à-dire une source d'énergie, rien de plus. En fait, cette impression de ne plus avoir quoi que ce soit d'intéressant dans notre vie lors d'un régime relève davantage de nos centres d'intérêt. Les commentaires comme *La nourriture, c'est tout ce qu'il me reste de passionnant* ne sont pas rares. L'importance de cette information va de soi. L'ignorer signe le début de sérieuses complications. Posez-vous la question, tentez de cerner objectivement de quelle manière vous voyez la nourriture.

***

Marie-Line a démontré un comportement particulièrement préoccupant. Sa touchante crise de larmes nous a tous pris au dépourvu, forçant un questionnement bien légitime. Y a-t-il un lien à établir entre cet inconfort de Marie-Line et l'importance qu'elle accorde aux aliments dans sa vie? Nous nous devons d'explorer cette voie, pour le bien-être de Michel dans son projet, mais surtout pour l'équilibre émotionnel de Marie-Line. En aucun temps, une perte de poids ne devrait être un supplice pour un couple; chacun doit y trouver son compte et cheminer à travers cette expérience.

— Avoir su, je me serais attaqué au problème bien avant! dit Michel. Marie-Line a tous vos papiers. Parfois, les portions sont trop grosses, mais je la corrige. Je lui dis que, si elle veut que j'aie des résultats, elle doit respecter à la lettre les instructions.

— Savez-vous qu'elle n'est pas obligée de faire tout ça?

— Nous faisons tout en couple. Je suppose que je lui rends service et que je lui simplifie les choses. Sinon, elle ne le ferait pas!

— La réussite de cette démarche lui tient à cœur. Qu'en pensez-vous, Marie-Line?

— Il désire tellement atteindre son objectif, répond la discrète dame avec un sourire.

Voyant une perte de poids d'un kilo et demi, son regard semble me dire: *Je vous l'avais dit, que ce ne serait pas un problème.*

— Comment se sont passés les moments où vous vous êtes permis des gâteries? que je demande.

— J'ai dit à ma femme que je ne voulais rien de tout ça à la maison.

— Le but du processus est de travailler notre plan pour qu'il corresponde davantage à la «vraie vie». Michel, même si la balance nous indique une perte de poids, cela ne signifie pas que le modèle est au point.

Les apprentissages ne suivent pas toujours une évolution logique. En fait, un poids stable sur la balance n'est pas toujours synonyme de stagnation, il peut démontrer l'assimilation d'importants concepts. Par exemple, si nous vivons une période de stress intense, ne pas engraisser est une réussite majeure. Le chiffre n'a pas changé, mais il indique malgré tout un excellent contrôle de la fourchette! La situation inverse est aussi vraie. Une perte de poids n'est pas toujours l'indicateur d'une maîtrise parfaite. Le seul indice fiable est le long terme, lui seul ne ment pas.

Un plan bien établi et personnalisé peut être respecté à vie. D'où l'importance accordée aux gâteries. Les esquiver rend impossible d'envisager autre chose que le court terme. Est-ce que notre couple retraité peut envisager son avenir à travers ces nouvelles conditions de vie? La réponse à cette question montre à quel point notre assiette est intimement liée à tous les aspects de notre quotidien. Et dans le cas d'un couple, la complexité est encore plus flagrante.

— Comme tout se passe bien jusqu'à maintenant, nous allons ajouter une difficulté. Nous aurons une très bonne idée des chances de réussite à long terme de votre maintien, Michel.

— J'aime bien l'idée. Surtout après avoir vu les résultats sur la balance.

Ces gens devront réintégrer quelques éléments de leur vie normale, comme cuisiner un dessert à deux. «Le défi consistera à vous entraîner à ne prendre que la moitié d'une part, deux fois dans la semaine!» L'objectif est clair, Michel se redonnera le droit de consommer certaines gâteries, tout en assumant pleinement la gestion de la quantité et de la fréquence. De cette façon, il sera enfin possible pour lui de manger ce qu'il veut, dans la mesure où il aura appris à contrôler les quantités. Comme je le répète souvent, ce n'est pas le chocolat qui fait engraisser, c'est trop de chocolat! L'autre but à atteindre est plus subtil, mais tout aussi important. Le couple doit maintenir intacte sa qualité de vie.

La phrase *faut-il mourir pour maigrir* prend tout son sens. La tentation est grande de balayer tous nos petits plaisirs pour une perte de poids, mourir en quelque sorte. Prendre cette voie mène directement dans un cul-de-sac. Et il porte un nom: la frustration. C'est notre ennemi juré.

Chapitre 13

L'orgueil… moteur ou frein?

———————◼———————

L'avocat célibataire de trente-quatre ans pourra enfin vérifier si l'univers de la balance répond aux lois de sa philosophie de vie: la logique. Si tous ses calculs sont adéquats, près de deux kilos devraient se soustraire du chiffre initial. Alors que d'autres envisagent les diètes comme des mises à mort, lui les traite comme une obligation financière mineure. Le moment est venu de régler le compte. Il a fait tout ce qu'il fallait, me confirme-t-il, en attendant avec impatience l'instant de vérité. Nous constatons tous les deux le résultat: une perte de un kilo, ce qui est excellent pour deux semaines. «Félicitations! C'est une belle perte de poids», que je lui lance, mais il ne répond pas tout de suite. L'analyse exhaustive est en cours d'exécution dans son esprit: *Comment se fait-il que l'objectif ne soit pas atteint, ce devrait être deux kilos, pas un!* De toute évidence, notre avocat n'a pas l'habitude des revers.

La majorité d'entre nous aurait célébré cette perte de un kilo avec bonheur. *La machine est enclenchée,* que nous nous serions dit, *enfin les résultats se font voir!* Christopher a besoin d'être remis en contexte. Dès le début, son tempérament amenait à penser qu'il tolérerait mal les objectifs non atteints.

— Lorsque nous en avons discuté la première fois, vous m'aviez dit que je pouvais viser un kilo par semaine. Oui, je suis un peu déçu…

— Je vous avais expliqué qu'il était difficile d'établir des objectifs précis de perte de poids. Plusieurs variables entrent en ligne de compte, la perte de poids peut aller jusqu'à un kilo par semaine. Mais ce n'est pas une garantie assortie à un contrat! D'où l'importance de ne pas établir d'échéancier.

Le corps humain n'est pas un appareil affublé d'un bouton marche/arrêt! Et nous n'avons toujours pas trouvé celui qui règle l'intensité à «maximum»! Lorsque nous tentons d'évaluer une perte de poids à venir, nous naviguons dans les eaux troubles. Évidemment, nous procédons selon un certain calcul mathématique très concret qui stipule que sept mille sept cents calories correspondent à un kilo[1]. Par contre, tout ce qui entoure cet énoncé est appelé à venir influencer le résultat.

— Vous savez, le nombre de calories brûlées par votre corps est une approximation. Voilà la première marge d'erreur. Votre plan alimentaire est, lui aussi, une estimation, la seule façon de remédier à ce problème serait de calculer en laboratoire les calories contenues dans chacun des aliments que vous mangez! Donc, seconde marge d'erreur!

— Je commence à comprendre le phénomène… marmonne-t-il.

— Le corps a un mécanisme qui fait en sorte qu'il peut adapter son métabolisme au contexte actuel. Si des activités physiques ont eu lieu, ou si des privations sévères se sont produites dernièrement, votre corps peut décider de ralentir la perte de poids.

— Comment prévoir les résultats alors? comme s'il se parlait à lui-même.

— La seule voie qui mène vers le succès, c'est de persévérer…

— Je me sens comme un enfant qui a échoué le plus facile des tests…

— Et qui se voit ridiculisé par ses amis?

---

1. Trois mille cinq cents calories correspondent à une livre.

Il ne s'attendait certainement pas à une telle réflexion de ma part. Pourtant, il se lance: «Lorsque l'on s'engage dans une perte de poids, on en parle aux autres. Ils disaient tous que ce serait difficile, alors que je leur jurais le contraire! Je me retrouve dans une situation étrange!» En fait, pour bien des gens, l'opinion d'autrui sur l'évolution de leur perte de poids n'est pas déterminante. Donc, devoir avouer que les résultats ne sont pas à la mesure de leurs espérances n'a rien d'incriminant.

Cependant, pour certains candidats, l'échec n'est pas une avenue envisageable puisque cela entacherait leur estime de soi. Peut-être pourrait-on affirmer que ces gens ont tendance à se définir davantage par ce qu'ils font, et non par ce qu'ils sont. Dans ce contexte, le kilo perdu par l'avocat en deux semaines ne peut être classé dans la catégorie «réussite», puisqu'il correspond à la moitié seulement des deux kilos anticipés. La réalité objective est sans équivoque, il y a bel et bien une perte de poids, c'est donc réussi. Voilà comment la même perte de poids peut être perçue de façon dramatiquement différente chez deux personnes. La personnalité de chacun vient jeter un éclairage différent sur les résultats obtenus... ou sur la manière de les juger!

S'interroger sur ses propres traits de caractère n'est certainement pas une perte de temps. Au contraire, se connaître davantage permettra éventuellement d'établir une stratégie beaucoup mieux adaptée. Sommes-nous intransigeants, rigides, drastiques... et orgueilleux? Ou, au contraire, nous situons-nous parmi les gens conciliants, flexibles, souples... et modestes?

Le jeune célibataire a tout le potentiel nécessaire pour atteindre ses objectifs de perte de poids. Le plus important sera de travailler ensemble pour redéfinir ce qu'est un échec, en termes de perte de poids, bien entendu. Ce faisant, il est primordial de préserver son estime de soi, celle-ci doit rester intacte. Cette souplesse, peut-être nouvelle pour lui, rendra la démarche beaucoup plus acceptable. La vie nous soumet à suffisamment de stress, inutile d'en rajouter avec un plan alimentaire trop rigide.

Tout compte fait, qu'en est-il du mélange explosif orgueil-balance? L'orgueil est en fait un carburant incroyable pour se propulser vers de nouveaux sommets. Donc, oui, cette puissance est un moteur exceptionnel… jusqu'au moment où débutent les premiers signes d'autodestruction. L'équilibre se révèle encore une fois comme étant la clé de la réussite.

Chapitre 14

Miroir, dis-moi
qui est la plus belle!

————————————————————

Maude se présente pour sa troisième rencontre et le destin semble s'acharner sur notre adjointe administrative de vingt-huit ans.
De toute évidence, la fourchette et la jolie demoiselle ne font pas
bon ménage, l'acclimatation s'avère laborieuse!

— Je continue à vider un énorme sac de croustilles le lundi
soir après l'éternelle réunion.

— C'est pour cette raison que vous êtes ici, Maude. Alors,
nous allons en parler…

Les lundis sont préoccupants et ils représentent le nœud du
problème. Ces soirées gourmandes où seules les croustilles semblent venir à bout de l'anxiété de la jeune travailleuse ne sont rien
d'autre que le symptôme de ses déchirements intérieurs. Même si
je lui répétais sans cesse : *arrêtez de dévorer vos émotions de cette
façon, vous ne faites que perdre votre temps,* rien de ce que je
pourrais lui dire ne ferait le poids. Sans le savoir, Maude possède
toujours le contrôle de ses émotions et de ses actes; cependant,
lorsque cette anxiété l'habite, il est impossible de le mettre en
application. Nous pourrions décrire le phénomène de manière
simple en affirmant que, lorsque la panique nous gagne, notre

logique disparaît et les boutons de secours deviennent invisibles à nos yeux. Seul le calme permet ce retour vers la logique.

Comment une jeune femme intelligente et sensée peut-elle perdre ses moyens à ce point? Rien n'est moins surprenant que de tels comportements se retrouvent dans notre quotidien. En fait, c'est tout le contraire qui se produit: ces gestes aberrants sont rarement absents! La seule différence entre Maude et les autres est qu'elle en est maintenant consciente. Celui qui noie ses idées noires dans la bouteille de bière à répétition le vendredi soir croit peut-être que son rituel est normal. Les aliments et l'alcool sont intimement liés à nos émotions, ils sont donc les premiers éléments visés par le déséquilibre qui s'installe. Lorsque la bouffe est notre échappatoire, les signes se font sentir assez rapidement et la balance lance le S.O.S.! Voilà pourquoi les problèmes de poids proviennent souvent d'un décalage émotif, d'où l'expression souvent répétée: manger ses émotions.

— Tout va bien… mais je veux des enfants! C'est le chaos dans ma vie amoureuse! Je recherche un homme attentionné et affectueux… les qualités d'un bon papa!

— Et les raisons des échecs, quelles sont-elles déjà?

— La dernière fois, il a cessé de m'appeler après trois rencontres. Il a dit que nous n'étions pas à la même place.

— Au sujet de la vie de famille et des enfants, peut-être?

— J'ai pris l'habitude de sonder le terrain dès les premières rencontres. Sinon, on perd du temps à se fréquenter. J'ai plutôt l'impression que c'est mon physique qui les rebute.

Cette conversation se révèle particulièrement instructive. «J'ai beau faire tout en mon pouvoir pour être extrêmement gentille et attentionnée, ce n'est jamais suffisant puisqu'ils ne donnent plus de nouvelles!»

Encore une fois, Maude essaie de plaire à tout le monde. «De ce que je comprends, lui dis-je, c'est comme avec votre patron, un éternel insatisfait?»

Se pourrait-il que nous soyons en train de déterrer des squelettes enfouis profondément? J'aimerais que Maude réussisse à visualiser toute la trame qui se joue derrière ses propos. Son esprit est trop occupé à rationaliser ses échecs personnels. Sur tous les plans, professionnel comme amoureux, elle attribue ses déboires à son aspect physique. Sachant maintenant de quelle façon raisonne Maude, est-il étonnant de la voir ainsi s'évertuer à plaire à tout un chacun? C'est un automatisme qu'elle a développé avec le temps. Sa vision d'elle-même très peu flatteuse devient un obstacle sur sa route; rien de plus logique que de compenser en tentant de plaire à tout prix. La recette parfaite est en place pour créer le déséquilibre parfait.

Mais qu'est-ce que tout cela a à voir avec la perte de poids? À première vue, absolument rien. Jusqu'au moment où les régimes à répétition se terminent par des échecs, chaque fois. Les revers s'accumulent au même rythme que l'amertume et le découragement. Et le poids, lui, poursuit sa montée vers des sommets inégalés. Vient ensuite un jour où les vraies questions surgissent. Mais que se passe-t-il? Quelque chose ne tourne pas rond? Cela marque le début d'une nouvelle ouverture sur autre chose. Rien n'est encore tout à fait clair, mais ce qui se déploie devant nous, c'est la bonne voie.

Lorsque nous nous acceptons tels que nous sommes, dès le début, c'est une garantie de succès. Il est difficile de ne pas établir de parallèles avec Christopher. Contrairement à Maude, sa confiance en lui est intacte et lui donne l'énergie vitale pour se prendre en main et s'attaquer aux défis qui l'attendent. Dans le merveilleux monde de la nutrition, les émotions doivent être prises en compte au même titre que la fourchette! Le fameux sac du lundi soir contient beaucoup plus que des croustilles. Il emprisonne la vision négative que Maude a de son aspect physique. Notre jolie demoiselle devra comprendre que son miroir tente par tous les moyens de lui parler… Oui, Maude, tu es la plus belle!

Chapitre 15

L'échelle du bonheur
se mesure-t-elle en kilos?

Qui pourrait croire que notre précieuse harmonie peut dépendre d'un verre de vin, d'un dessert gourmand ou d'un sac de croustilles? Il suffit que l'on balaie du quotidien tous ces petits extras apparemment inoffensifs pour en sentir immédiatement les effets dévastateurs. Le manque devient criant et la détresse s'installe progressivement dans l'esprit de la victime! La petite Daphnée n'a pas encore pris conscience de cette réalité plutôt déstabilisante; cependant, les effets se font tout de même sentir. Pourquoi l'amener si rapidement dans le monde sans pitié de la balance? Cependant, il y a peut-être un angle différent à la situation. Cette troisième rencontre avec notre jeune étudiante de onze ans et sa maman se prête bien à l'exercice.

— Tu m'as dit que je n'avais pas besoin d'être parfaite, alors c'est plus facile. Avant, je grignotais sans cesse en attendant le souper. Je le fais moins maintenant.

Daphnée s'approche de la balance, mais cette fois, son attitude est convaincue et déterminée. Déjà une victoire, avant même de constater le chiffre sur la balance! Cette métamorphose dans les comportements entraîne automatiquement la fonte graduelle des kilos. En somme, lorsqu'il n'est plus nécessaire de dévorer littéralement les émotions, qui a besoin de calculer ses calories?

Oserait-on mettre en doute les compétences d'un plombier? Il faudrait être bien malin pour s'improviser spécialiste dans ce domaine et pouvoir réaliser des raccourcis avec les tuyaux. Pourtant, la nutrition regorge de ces supposées techniques «rapides et efficaces» qui permettraient miraculeusement de régler un problème de poids. La tentation de se prêter au jeu est parfois irrésistible. La pire erreur est de croire que ces essais répétés ne laissent aucune trace. Certaines marques laissées par ces moyens draconiens disparaîtront avec le temps... à la condition de leur prêter toute l'attention qu'elles méritent.

La petite a la chance inouïe d'avoir été préservée jusqu'à maintenant des aléas de la balance. Elle doit apprendre à reconnaître ses émotions. Cette première étape est essentielle, parce que, ensuite, Daphnée devra gérer ces mêmes émotions, en les dirigeant ailleurs que dans l'assiette. Le processus est bien enclenché, son attention est orientée vers son comportement plutôt que sur les calories contenues dans les petits pois ou les carottes. Et sa motivation est sur une pente ascendante, d'ailleurs, la balance penche en sa faveur!

— J'ai un peu peur de regarder ce que ça donne! Est-ce que j'ai engraissé encore?

— Ton poids est resté stable, aucune augmentation en deux semaines, c'est magnifique!

J'observe une maman qui a la conviction d'accompagner son enfant, de la tenir par la main sur cette route jonchée d'obstacles. Andréanne reprend son rôle là où elle l'avait laissé. Dorénavant, chacune d'elles a ses responsabilités. L'équilibre est enfin rétabli. Mais Daphnée montre un air songeur! Que peut-il bien se passer dans la tête d'une jeune fille de onze ans qui vient de constater que, pour la première fois depuis des années, son poids a cessé d'augmenter? L'une des attitudes les plus nuisibles dans la perte de poids consiste à tenir pour acquis les sentiments. Supposer que nous comprenons l'état d'âme de quelqu'un, sans au préalable en avoir discuté, peut réduire à néant des semaines d'effort.

— Je crois que j'aimerais maigrir. Ça va être très long avant que mon poids soit normal.

— Ton poids n'est pas «anormal», Daphnée! Ce ne sont que quelques kilos en trop! Si tu avais un gros orteil au milieu du visage, là, ce serait anormal!

Je poursuis: «Te faire perdre du poids à ton âge pourrait te mettre à risque de manquer de nutriments. Pendant ta période de croissance, ton corps va allonger et les proportions vont changer. Pour le moment, tu dois t'adapter à tes nouvelles habitudes. Aujourd'hui, pour la première fois, tu as la certitude que ce que tu as fait pendant les deux dernières semaines était parfait!»

Daphnée veut comprendre la démarche, sa détermination est indiscutable. Cependant, notre jeune fille n'est pas différente de la majorité des gens, la tendance naturelle à vouloir des résultats à brève échéance est coriace. Remettre les pendules à l'heure régulièrement est la seule façon d'y remédier.

— La semaine prochaine, c'est l'Halloween... Mais si ça aide à mon poids, je n'ai pas le choix. Je vais les regarder partir...

— Oh non, Daphnée! Tu vas y aller, ma belle! C'est l'Halloween, après tout! Ta tournée va même servir de formation!

Le but de notre démarche est de modifier des habitudes alimentaires, le chiffre sur la balance suivra automatiquement, mais il n'est pas l'objectif ultime. En fait, ce que nous visons est le long terme, donc préserver nos petits bonheurs est capital; l'Halloween n'en fait-elle pas partie dans le cas de notre jeune fille? Initier Daphnée au contrôle de son poids en lui confisquant d'emblée toutes les fêtes qui meublent les souvenirs d'enfance? Voilà la recette parfaite pour créer un énorme foyer de frustration... le début de la fin, en somme.

— Nous allons établir des objectifs, Daphnée, et le jeu sera de vérifier jusqu'à quel point tu peux les respecter!

La motivation de la petite est à son paroxysme! Après avoir cru un instant que les fêtes étaient bannies, elle est prête à restreindre les sucreries sans aucun problème! Encore une fois, la preuve est faite que l'échelle du bonheur ne se mesure pas en kilos!

Chapitre 16

La qualité de vie...
la seule priorité?

———————◦———————

« Je suis agréablement surprise! Honnêtement, ces deux dernières semaines ont été beaucoup plus sereines! » expose Florence en entrant dans le bureau pour sa troisième consultation. Elle a compris que la restriction extrême est inutile et ne crée que la frustration. À quarante-deux ans, Florence réalise qu'elle a encore quelques concepts de base à assimiler. La fourchette semble inoffensive à première vue, mais quel traître instrument elle peut devenir si elle n'est pas dominée!

Florence traverse les phases d'une façon classique. Son scepticisme du début n'a rien de surprenant. Cet état d'esprit apparaît chez la majorité des candidats, la seule différence réside dans l'intensité! Par la suite, une brèche se forme dans le dôme d'appréhension et l'ouverture à la démarche peut alors s'installer. Perdre du poids devient réaliste, il suffit de choisir la méthode. Lorsque cette étape est franchie, la personnalisation doit devenir la priorité. Comment croire que l'on peut régler un problème de poids sans en approfondir les causes?

Les effets négatifs d'un mode de relaxation mal adapté à notre personnalité peuvent mettre un temps considérable à se manifester. Les signes avant-coureurs sont difficiles à décoder et, souvent, très mal interprétés. Combien se sont épuisés à la course à pied? Pourtant, l'objectif n'était-il pas d'évacuer la pression quotidienne? Le shopping est inoffensif, mais pratiqué à l'extrême, ne vient-il pas perturber sérieusement l'équilibre émotionnel... et financier? Mon expérience dans le domaine m'a permis de constater ces aberrations. Comment croire que l'on peut lier ces extrêmes à un problème de poids? Croire que la balance ne dépend que de la fourchette est bien simpliste. Notre personnalité est complexe et elle est soumise à toutes les influences extérieures qui font pression constamment. Mais s'il n'y avait que cela! Notre propre interprétation de l'environnement qui nous entoure joue un rôle majeur dans notre équilibre. Si le milieu de travail de madame est inondé de femmes taillées au couteau et tirées à quatre épingles, il y a fort à parier qu'elle s'imposera des critères de contrôle de poids très stricts. Pourtant, aucune directive en ce sens n'a été émise. Son cerveau se charge d'interpréter les signes environnants et elle s'imposera elle-même des règles à suivre. Par contre, si madame a confiance en elle suffisamment, la logique prédominera et le contrôle de son poids sera son propre choix. Ainsi s'explique comment la balance peut s'immiscer sournoisement dans notre quotidien et le transformer en un enfer!

Il est très éclairant de savoir que les parents de Florence avaient développé un penchant pour la nourriture et les boissons alcoolisés comme méthode de relaxation. «Ils étaient très heureux, leurs habitudes ne les ont pas détruits, me raconte Florence avec nostalgie, pourquoi est-ce que je devrais en faire toute une histoire?» À quarante-deux ans, les interrogations ont commencé à l'assaillir, il sera très difficile de balayer cette réflexion naissante sous le tapis... ou de la noyer dans du bordeaux! Les parents de Florence n'y ont porté qu'une distraite attention, préférant faire passer le moment présent en avant-plan. Mieux vaut vivre moins longtemps, mais vivre à plein! Il semble que plus notre amie comprend tout le phénomène qui entoure son assiette, plus l'envie de contrôler sa destinée la gagne. Il y a fort à parier que ses nouvelles bases contribueront à créer sa propre maxime. Savourer la vie à plein... avec sagesse s'harmoniserait tellement mieux avec sa belle personnalité.

La route est encore longue devant nous, la victoire n'est pas acquise, il faudra aller la chercher en gagnant chacune des batailles qui se présentera sur notre chemin. Florence en est consciente, mais quelque chose lui échappe. Et ce n'est pas un détail. En fait, il s'agit de la pierre angulaire de notre plan d'intervention. Alors, autant s'y attaquer de front et jeter la lumière sur le problème.

— En termes de quantité, mes gâteries et l'alcool n'ont pas beaucoup changé. C'est juste que j'avais l'impression de les voir différemment.

— Un peu comme si vous tentiez de les apprivoiser, n'est-ce pas?

Tous ces propos servent à introduire le sujet très délicat qui nous intéresse. On dirait presque qu'il est question d'une chirurgie à haut risque! La situation exige un certain doigté. La pesée d'aujourd'hui nous montre un poids stable. Déception! *Aucune perte!* est la façon superficielle d'interpréter le résultat de Florence. Il est capital de situer ce poids dans son contexte. Depuis maintenant quatre semaines, notre amie a plongé la tête la première dans les eaux troubles et tente de remonter à la surface pour voir plus clair. Elle découvre tout en même temps, pas de répit. Se maintenir à flot, n'est-ce pas déjà une réussite inouïe? Cela dépeint exactement l'attitude nécessaire à la bonne interprétation de ce que nous raconte la balance. Elle a une tonne d'informations à nous révéler, encore faut-il parler son langage! Dans le cas de notre femme d'affaires, la suite des choses passe nécessairement par un face-à-face avec le cellier… tout en ayant un œil sur l'influence du conjoint!

— Je sais que vous voulez couper mon apéro et les trois verres de vin à chaque souper… Depuis le début, cette idée m'effraie. Les desserts et les gâteries, ce n'est pas la même chose on dirait, m'explique Florence avec sincérité, montrant sa détermination à trouver une solution.

Qui ne comprendrait pas cette anxiété quant à la perte de sa soupape de sécurité, celle qui permet de libérer la pression accumulée dans la journée? Florence ne prend pas ces consommations parce qu'elle a soif! Tout comme Maude n'ingurgite pas un sac de croustilles «grand format» le lundi soir parce qu'elle a faim! Le verre de vin joue un rôle bien précis dans le quotidien de Florence. L'éliminer représente un défi de taille pour elle. Évidemment, elle semble résignée à le faire, croyant que cette solution est la seule qui permette d'atteindre son objectif de poids. Mais opter pour cette mesure extrême serait bien mal interpréter la psychologie humaine. La création d'une frustration qui entraîne une perte de contrôle totale. Voyons autrement ces extras qui nous tiennent à cœur. Ils sont vraiment différents des pois et des carottes. Ils font partie de notre qualité de vie et la préserver doit être une priorité!

— Donc, ma chère Florence, il n'est pas question d'éliminer le bordeaux de votre vie… nous allons travailler fort à le doser!

— Dites-moi ce qu'il faut faire, je le ferai!

Voilà, nous y sommes! Préserver la qualité de vie, c'est s'assurer une précieuse collaboration!

Chapitre 17

Le spectre de la maladie...
quel coup de pied!

La perte de un kilo et demi avait déçu Michel de prime abord. Pour celui qui entreprend la démarche, chaque gramme compte, car il représente son lot de privation. Et ce comportement est justement le signe flagrant que toute l'attention est définitivement portée sur la balance. Ce qu'il faut éviter à tout prix. Mais quel paradoxe! Puisque l'objectif est de maigrir, comment ne pas focaliser sur le pèse-personne? Il est nécessaire de se le rappeler sans cesse: le but est la modification des habitudes alimentaires. Par la suite, le poids diminuera tout seul! Lorsque nous priorisons la balance, nous orientons notre vision vers le court terme. Alors qu'en mettant toute notre énergie sur les comportements alimentaires, nos efforts donneront des résultats permanents. Ce concept est beaucoup plus facile à dire qu'à mettre en pratique, mais une fois qu'il est acquis, c'est pour la vie.

— Je devrais avoir fondu de quatre kilos! La grosseur des portions… la perfection! Et les extras… plus rien! C'est plus simple que d'en prendre un peu et souffrir! explique avec assurance le courtier immobilier retraité.

Le chiffre montre une perte de quatre kilos pour les deux dernières semaines.

— Je vous avais dit que je n'avais pas de problème à me priver des gâteries! C'est du superflu, tous ceux qui ne peuvent s'en passer sont des faibles! Vous allez apprendre à me connaître!

Marie-Line ose intervenir: «Michel n'a pas tenté l'expérience que vous nous aviez suggérée...» Faisant référence à l'exercice de cuisiner un dessert à deux.

— Me forcer à prendre un dessert! se justifie Michel.

— D'accord, il sera toujours temps d'essayer plus tard, que je réponds, de manière à éviter toute confrontation en cet instant plutôt tendu.

— En plus, nous avons eu la visite des enfants. Je leur ai expliqué que ce serait plus simple s'ils allaient tous au restaurant.

La tension s'installe, elle est palpable. Est-ce que le fait de revoir ses enfants fait en sorte que Marie-Line peut maintenant faire distinctement la différence entre les objectifs de son mari et les siens? Marie-Line appréhendait les privations de Michel. Elle avait en quelque sorte fusionné les désirs de son mari et ses propres obligations. De là, il n'y avait qu'un pas à franchir pour imaginer toutes les contraintes qui lui seraient imposées. Il n'est pas étonnant qu'elle ait fondu en larmes à cette seule pensée.

Le courtier aime prendre les choses en main et se diriger tout droit vers son objectif. Mais j'ai bien peur qu'il ait choisi la route la plus cahoteuse. Il veut atteindre son poids le plus tôt possible. Mais pourquoi? Bien entendu, tous ceux qui désirent maigrir veulent arriver à leurs fins rapidement. Personne ne désire étirer ce plaisir en longueur, cela va de soi! Comment savoir alors si notre empressement est exagéré? Certains signes ne trompent pas. Lorsque notre vie sociale et familiale est affectée par notre impatience à atteindre le chiffre magique, il y a lieu de nous questionner sérieusement.

— Eh bien... disons que le médecin m'a fait un portrait plutôt sombre de mon état physique. Le cholestérol, c'est une chose. Puis les glycémies... Vous savez ce que c'est, le diabète, une vraie calamité, continue-t-il avec les traits assombris et le dos courbé.

«J'ai fait mes recherches sur Internet, me confie-t-il, je vous le jure, les gens ne sont pas conscients de ce qui les attend, sinon, ils n'en dormiraient pas... comme moi.» Michel semble ne plus réaliser que nous sommes dans la pièce. J'ai vaguement l'impression qu'il se parle à lui-même. Un genre de monologue où la noirceur domine. Il poursuit: «Je sais ce qui m'attend, le coup va partir, je ne sais juste pas quand... Alors, quand vous me dites de ne pas couper complètement les gâteries pour conserver ma qualité de vie... Je veux vivre et éliminer tout ce qui menace de me tuer. La constante qui relie tous mes problèmes, c'est le poids. Si j'arrive à retrouver un poids adéquat, toutes ces menaces seront écartées. Alors, oui, je suis très motivé.»

L'énigme de la motivation de notre retraité prend maintenant tout son sens. Michel a développé une peur maladive de mourir... les aliments sont devenus ses pires ennemis. Et perdre du poids est sa façon d'éloigner l'ennemi qu'il ne peut contrôler! C'est la raison pour laquelle il tient à exercer son emprise sur la balance. C'est le seul élément où il peut exercer son contrôle.

Le spectre de la maladie est l'un des meilleurs leviers pour nous pousser à modifier nos habitudes alimentaires. À la condition de ne pas en faire une obsession. Mais quelle est donc cette force qui nous entraîne, bien malgré nous, vers une pareille aberration? La peur de l'inconnu est la grande coupable. Et elle n'est pas exclusive à la balance. Elle peut se développer dans tous les domaines de notre vie où, soudainement, une nouvelle route s'offre à nous. Rien n'est plus déstabilisant qu'une vision trouble de notre avenir. Pour désamorcer cette bombe, la patience est de rigueur. Il faudra dédramatiser la situation. Michel devra d'abord se réapproprier ses petits bonheurs et ensuite trouver réponse à ses questions. Il lui faut l'heure juste... tout simplement.

TROISIÈME PARTIE

ATTAQUEZ-VOUS AU VRAI PROBLÈME!

Chapitre 18

Gérer ses émotions
au lieu de les manger!

————————————⬤————————————

Mais que signifie donc «manger ses émotions»? En fait, cette situation se produit lorsque nous mangeons ou buvons, mais pas parce que nous avons faim ou soif. Nous consommons alors des aliments ou des boissons alcoolisées en réponse à une émotion. Elle peut être de tout ordre, comme la solitude, la tristesse, l'ennui, la déception. Mais que l'on ne s'y trompe pas! Ces émotions peuvent tout aussi bien être joyeuses! Certains seront portés vers la nourriture s'ils ont reçu une bonne nouvelle, si on les a félicités pour un travail, ou même… s'ils ont perdu du poids! Aucune excuse n'est à l'abri, seule l'imagination pose une limite! Nous avons tous remarqué que les aliments choisis font rarement partie du Guide Alimentaire! Il semble que plus ceux-ci s'en éloignent, plus ils sont satisfaisants. Tant qu'à se gâter, autant choisir quelque chose qui en vaut la peine! C'est ainsi que l'objet de notre désir est souvent riche en gras saturés ou en sucre… ou les deux, pourquoi pas!

Qu'y a-t-il de mal à manger nos émotions? La réponse est loin d'être simple. Nous sommes libres de manger nos émotions comme bon nous semble, la limite est établie selon nos critères de poids, de santé et d'équilibre émotionnel. Si nous sommes à l'aise avec les conséquences, souvent parce que nous n'en sommes pas conscients, alors aucune limite ne peut nous arrêter. Nous sommes l'unique maître de notre fourchette, ne l'oublions pas!

Célébrer nos beaux moments ou tenter d'oublier nos moins bons est un réflexe humain tout à fait naturel. S'ils sont bien gérés, notre poids restera stable et la santé ne devrait pas trop en souffrir. Le concept de modération occupe une place de choix. Dans la mesure où notre définition de modération se situe dans des normes acceptables, il n'y a aucun problème à l'horizon. Ne dit-on pas d'ailleurs que ce sont nos petits bonheurs qui font notre qualité de vie!

Chez certains, les «petits bonheurs» sont très fréquents... entraînant le chiffre de la balance vers des sommets inégalés. C'est donc le premier signe, celui qui devrait déclencher l'alarme et nous faire prendre conscience que les limites ont été outrepassées. «Vous voyez, Florence, où je veux en venir, n'est-ce pas?»

Cette troisième rencontre constitue le point décisif de son plan alimentaire. Il est temps d'aborder les éléments qui auront un impact majeur sur son poids.

— J'étais persuadée que vous m'en parleriez dès le début! Pourquoi avoir attendu à aujourd'hui? me demande-t-elle.

— Si j'avais fait cette erreur, Florence, vous seriez partie en me claquant la porte au nez! Vous rappelez-vous dans quel état vous étiez?

La discussion que nous allons entreprendre demande un certain détachement de sa part. Elle pourra ainsi mettre en perspective l'effet libérateur des verres de vin quotidiens. Car c'est bien de cela dont il est question.

La solide entrepreneure de quarante-deux ans a l'habitude de défoncer les portes. Et si, par hasard, les conseils que vous lui avez prodigués s'avèrent être justes, alors peut-être bénéficierez-vous d'une parcelle de crédibilité. Aborder le problème de poids de façon superficielle, en ignorant l'origine de ce besoin de boire, ne ferait qu'étirer dans le temps ses efforts pour perdre du poids. Sans compter l'effet dévastateur de l'échec. Florence pourrait alors se conforter dans ses mauvaises habitudes, convaincue qu'il n'y a rien à faire pour y remédier. «Bon alors… je suis prête maintenant! Je me suis faite à l'idée d'agir, j'ai hâte d'entendre ce que vous allez me dire, mais j'ai quand même une crainte au fond de moi, vous savez…» lance-t-elle. J'ai devant moi une femme qui se montre réceptive à mes propositions.

— Vous avez appris des éléments fondamentaux, rien ne sert de couper drastiquement, il faut préserver votre qualité de vie. Et quelle est l'attitude de votre conjoint, car il faut en tenir compte dans le processus?

— Disons qu'il est très sceptique, il ne croit pas vraiment que j'aurai des résultats. Il passe souvent des commentaires comme : «Quel genre de professionnel laisserait son client prendre trois verres de vin par jour?»

— Votre conjoint a ses propres convictions, basées sur ses expériences personnelles. Jusqu'à quel point vous laissez-vous influencer par ses critiques?

— On dirait que ces petits commentaires négatifs finissent par nous user, et ils deviennent presque plus difficiles à supporter que le projet lui-même! explique-t-elle.

La confiance en soi de Florence est en bon état, et ses priorités ont pris la bonne direction. Le chiffre sur la balance n'est plus l'objectif ultime. Le moment est maintenant venu de s'attaquer au vrai problème! Cette étape est critique. Pousser trop loin les demandes risquerait de mettre la barre trop haute et de compromettrait l'atteinte des objectifs. D'un autre côté, ne pas aller chercher le plein potentiel de Florence, au moment où l'exercice s'y prête le mieux, ralentirait cet élan d'énergie. Nous cherchons à atteindre cet équilibre où nos objectifs correspondent aux efforts nécessaires. L'harmonie doit exister entre ces deux entités. C'est ce qui constitue notre précieuse qualité de vie.

Il n'y a pas de formule mathématique pour établir à quel niveau nos cibles doivent être établies pour aller chercher notre plein potentiel. Il faut tenir compte de notre vécu, mais surtout du contexte actuel. Mieux vaut réévaluer à la baisse nos objectifs si la conjoncture présente est plus difficile. Par exemple, les visées du plan alimentaire d'une mère de jeunes enfants qui travaille à temps plein seront différentes de celles d'un homme retraité. Et si un membre de la famille éprouve des problèmes de santé, rien ne sert de compliquer la situation d'une diète sévère!

— Combien de verres de vin vous sentez-vous prête à sacrifier, Florence?

Après quelques secondes de réflexion: «Je crois qu'un seul verre par jour, j'en serais capable… je serais parfaitement heureuse!» Voilà que le mot recherché a été prononcé! C'est le signe que nous attendions.

Chapitre 19

Confronter ses peurs...
pour les apprivoiser

———————⬥———————

Dans le domaine de la balance, la confrontation de nos peurs fait partie des impératifs. De quelles peurs parlons-nous au juste? Qu'y a-t-il d'effrayant à perdre du poids? Certains pourront croire que ce n'est qu'une façon de trouver une excuse pour ne pas maigrir. D'autres diront que c'est un moyen de se plaindre. Cela démontre à quel point les kilos ont l'incroyable don de brasser les émotions les plus variées.

Il y a deux semaines, Michel jurait avoir trouvé «sa méthode», affirmant qu'il avait exclu les extras de son alimentation. Le résultat sur la balance semblait lui donner raison, affichant une perte de quatre kilos pour les deux dernières semaines. Tout aurait été parfait. Sauf qu'une erreur monumentale s'est glissée quant à l'interprétation des objectifs. Le but est simple: viser un changement des habitudes alimentaires à long terme. La route sur laquelle s'engage Michel est hasardeuse. Si la tendance se maintient, le retraité pourrait en arriver à créer son propre univers, centré sur son poids. Délaissant graduellement les plaisirs communs avec sa conjointe, comme partager un dessert fait avec amour. Cette notion échappe au retraité. Mais, tôt ou tard, il faudra s'attarder à cette contrariété naissante.

Ce qui est beaucoup plus préoccupant dans le comportement de Michel est sa crainte de mourir. Les liens qu'il établit entre son taux de cholestérol et le décompte de ses derniers jours à vivre sont aberrants. La logique voudrait que nous expliquions la situation actuelle à Michel, en toute objectivité, lui démontrant ainsi l'illogisme de ses craintes. Nous voyons ici l'exemple parfait des ravages que peuvent faire les émotions reliées au poids. Même chez un homme qui semble parfaitement en contrôle de ses moyens et de son destin, le poids revêt une dimension affective. Balayer cette notion du revers de la main équivaudrait à ignorer tout un pan de la perte de poids, celui qui assure le maintien à longue échéance.

— Deux autres kilos en deux semaines. Comment se sont déroulées les choses?

— J'ai trouvé ma formule gagnante! D'ailleurs, je ne vois plus l'utilité de revenir! Nous ne faisons que confirmer la perte de poids sur la balance.

— Tu te rappelles qu'elle a dit que ton plan devait ressembler à la vie normale. Ça, ce n'est pas la vie normale! lance calmement Marie-Line

— C'est ma vie normale à moi.

La discussion prend une tournure inattendue et émotive. Je m'empresse de rassurer notre retraité. Michel vient de nous démontrer que l'expression de nos craintes peut aller très loin. Il est persuadé d'avoir trouvé la solution magique à sa longévité, et toute critique stimule son agressivité. Le problème est que, pour lui, cette menace prend la forme de sa femme. Chacune des tentatives de l'infirmière pour ramener son mari vers une certaine normalité est interprétée comme une provocation. Quelle situation aberrante! Nous tentons de régler un problème, mais nous en créons un nouveau!

— Vous pouvez être fier de ce que vous avez accompli jusqu'à maintenant.

— À partir de combien de kilos est-ce que je vais pouvoir commencer à relaxer?

— Relaxer... Que voulez-vous dire, Michel?

— Après combien de kilos perdus le corps recommence-t-il à fonctionner normalement?

— Vous voulez savoir dans combien de temps votre vie ne sera plus en danger?

— Quand vais-je pouvoir dormir sans me demander si je vais me réveiller le lendemain?

— Qu'est-ce que cela va changer, Michel, si je vous donne une date, dites-moi?

— Je ne sais pas trop. Vous savez, j'ai l'air de bien performer comme ça, mais c'est difficile de se priver de... Je crois que je trouve ça lourd...

— Toute cette nouvelle vie de restrictions? Les menaces de maladie?

— Oui, c'est exactement cela... comme vous le dites!

— Mais ce n'est pas moi qui le dis, c'est vous.

— Je ne comprends pas, que voulez-vous dire?

— Personne ne vous a dit que vous alliez mourir demain matin et personne ne vous a dit de vous priver de tout. Ce sont vos propres interprétations... Comprenez-vous maintenant où je veux en venir?

Michel reste silencieux. Il a besoin de temps pour évaluer ces nouvelles données. Les fondements de son raisonnement sont basés sur les craintes qu'il a créées de toutes pièces. Mais voilà, tout son plan est contaminé par la peur, lui rendant maintenant la vie impossible. *Dois-je simplement regarder mes convictions disparaître sans réagir ou, au contraire, m'y accrocher de toutes mes forces, au risque de m'effondrer?* jauge-t-il dans son for intérieur bouillonnant.

Peu importe, croit-il, *de toute manière, je suis perdant sur tous les plans. D'un côté, je dois supporter une vie de restrictions, terminé le plaisir! De l'autre, je recommence à me gaver, et je risque d'en mourir! Mais non! C'est vrai! C'est le fruit de mon ima-*

gination! Je n'ai plus à mourir pour manger! Je ne sais plus... je ne sais pas quoi faire...

Elles ne sont vraiment pas faciles à maîtriser, ces craintes qui nous hantent. Habituellement, nous réussissons à bien les cacher. Qui voudrait admettre que son verre de vin lui manque atrocement, ou que l'absence de ses croustilles est intenable en soirée, ou encore que, sans son chocolat, la vie n'a plus aucun sens? Derrière ces privations se cache une mine d'or d'informations. Il suffit d'y puiser pour connaître les raisons profondes de nos petits malaises. Ceux qui nous entraînent plus souvent qu'à notre tour vers le frigo. Et qui ensuite, inlassablement, poussent sur la balance à notre plus grand désespoir.

Le retraité se croyait fort. Il surfait sur la crête de la vague et se voyait invincible. Les kilos fondaient à un rythme effréné, comme il l'avait prévu. Mais les craintes, elles, restaient intactes, toujours présentes. Pourquoi en serait-il autrement, puisque Michel ne s'est attardé qu'à la surface? L'essentiel est plus profond. Mais peut-être pourrons-nous enfin y arriver. Sa chute est le vrai point de départ. Il devra identifier ses peurs... pour ensuite les contrôler.

Chapitre 20

Courir, courir...
pour brûler la gâterie

L'activité physique est intimement liée aux saines habitudes alimentaires. La santé doit être vue de façon globale. Je suis convaincue qu'en lisant ces lignes plusieurs ne se sentent aucunement concernés. L'exercice se retrouve loin derrière les «vraies» préoccupations, ils sont happés par la «vraie» vie et les obligations quotidiennes. Mais est-ce vraiment si compliqué d'atteindre ce fameux équilibre global? Se pourrait-il que nous puissions, nous aussi, profiter de bons moments à faire bouger notre corps?

Maude est la personne tout indiquée pour nous permettre d'explorer la question. Le sac de croustilles est toujours l'élément dominant des nombreuses préoccupations de l'adjointe administrative. Entre son désir de rencontrer l'homme de sa vie pour fonder une famille et l'insoutenable obligation de plaire à tout le monde qui l'entoure, la femme de vingt-huit ans a tout juste suffisamment d'énergie pour investir quelques heures dans un centre d'entraînement. *Ce sera rentable,* croit-elle. Quelle autre activité peut lui permettre d'accélérer la perte de poids, pour ensuite la propulser vers l'atteinte de tous ses objectifs: un conjoint, un papa pour de futurs enfants, une belle image d'elle-même à regarder pour ceux qui l'entourent... qui pourront enfin l'apprécier à sa juste valeur? C'est la logique de Maude.

Par contre, la balance ne semble pas coopérer à son savant échafaudage. Elle reste là à fixer le chiffre. Sa fierté est l'unique rempart qui l'empêche de laisser couler les larmes qui s'accumulent dans ses yeux. Décidément, les résultats ne correspondent pas aux attentes! Le chiffre nous confirme que le poids de la jolie dame stagne. Encore des retards dans l'atteinte de ses objectifs de vie... *Le temps presse,* pense-t-elle probablement.

— Maude, il faut que nous parlions de votre entraînement, le moment est venu d'éclaircir la question.

— J'ai augmenté la cadence il y a un mois. J'en suis à cinq jours par semaine.

— La vraie question est de savoir si vous êtes une sportive. Si ce n'était de votre poids, iriez-vous vous entraîner juste pour le bien-être?

La fixation sur notre désir de maigrir à tout prix amène avec elle un dommage collatéral. Une distorsion de la réalité s'installe graduellement. Focaliser sur l'instrument fait en sorte que notre jugement peut être faussé. Cette aberration touche en particulier tout ce qui peut influencer notre poids, à la hausse ou à la baisse. Ainsi, les aliments qui sont perçus comme étant «engraissants» deviennent soudainement l'ennemi à abattre. Beaucoup d'énergie sera alors utilisée pour bannir complètement les coupables, créant par le fait même de nouvelles frustrations qui rendent impossible toute notion de contrôle. Par le même processus, nous monterons au grade de sauveur tout ce qui pourrait entraîner une perte de poids rapide. Des abus de ces béquilles s'installeront dans le quotidien, créant un terreau fertile à l'instauration d'un déséquilibre majeur. L'exercice physique fait partie des solutions qui sont souvent envisagées pour générer une perte de poids rapide. Quelques heures par semaine à courir ou à pédaler! Le temps que le poids soit enfin acceptable!

— Vous ne me verriez pas dans une salle à suer pour brûler les calories! Mais c'est pratique de courir pour se payer une petite gâterie... Sans oublier que les rencontres sont toujours possibles... lorsque j'aurai atteint mon poids idéal.

— Les attentes que vous avez par rapport aux résultats sont démesurées. Nous allons tenter de retrouver un équilibre.

Nous sommes maintenant fixées sur les motivations de Maude, la balance est l'unique objectif. Aucune notion de bien-être ne ressort de ses propos lorsqu'elle nous décrit ses activités sportives. La question qui doit sans cesse nous obséder dans la poursuite de notre plan est: *Sommes-nous convaincues que nous continuerons ce changement... de façon permanente?* En d'autres termes, si une modification à nos habitudes ne cadre pas avec notre style de vie ou notre personnalité, elle sera abandonnée dès l'atteinte de notre poids. Et les anciens comportements reprendront le dessus! Comme ils sont à l'origine d'une prise de poids, ce n'est qu'une question de temps avant que les kilos ne nous rattrapent... encore une fois! La logique peut parfois être désarmante dans le merveilleux monde de la balance! Même si l'entraînement n'arrive pas en tête sur la liste des goûts personnels de l'adjointe administrative, rien n'empêche d'en viser l'intégration graduelle. L'objectif est de personnaliser le plan. Toujours dans l'optique d'obtenir des changements à long terme.

— Une bonne marche lorsque votre horaire vous le permet?

— Et la balance alors? demande Maude, sceptique face au choix que je lui propose.

— Nous devons traiter ces deux choses séparément. Le plan alimentaire d'un côté, et l'activité physique de l'autre. La raison est simple: il ne faut surtout pas utiliser le tapis roulant pour contrôler la balance!

— Je pourrais tout simplement aller faire une bonne marche après le souper, et ce serait suffisant? répète-t-elle pour confirmer l'incroyable révélation.

Comme la majorité d'entre nous, Maude n'est pas une athlète qui doit s'astreindre à un entraînement rigoureux. Ainsi, la principale façon de faire fondre les kilos en trop est incontestablement la fourchette! Intégrer l'activité physique dans sa vie fait partie des objectifs visés, bien entendu. Mais cela doit se faire dans le respect du cadre global de son plan.

Certaines personnes opteront pour les entraînements réguliers en salle. Ces heures d'effort leur procurent une sensation de bien-être. Dans cette optique, il est permis de croire que cette habitude sera toujours présente à longue échéance et contribuera à l'équilibre de la personne. Utiliser l'instrument comme seule source d'inspiration est un bien mauvais départ! L'activité physique choisie doit être plaisante aux yeux de Maude. Au lieu d'être perçue comme une arme contre les kilos, elle doit au contraire l'amener à se détendre. Ainsi, ces périodes deviendront une autre façon de se fixer sur les vrais objectifs: modifier ses habitudes de vie à long terme.

L'entraînement ne correspond aucunement à la personnalité de l'adjointe. La marche dans son quartier, selon ses disponibilités, semble l'attirer davantage. Je compte surtout sur le bien-être mental que lui apportera cette nouvelle activité. Cette minuscule étincelle pourrait amorcer la reconstruction de sa confiance en elle. Ces promenades en solitaire ou avec une voisine lui feront découvrir l'autre visage de l'activité physique, celui qui apporte l'équilibre dans notre vie. Quant à la balance, elle nous permettra de mesurer le résultat... indirectement! Car lorsque Maude retrouvera sa confiance, les croustilles s'écarteront de son chemin! Et elle cessera de courir pour brûler la gâterie!

Chapitre 21

Influençable… à l'épicerie,
comme dans la vie!

———————◀▬▶———————

L'attitude de Daphnée dégage le calme et la confiance. La maman est tout aussi sereine. Le chiffre indiqué est le même qu'il y a deux semaines, confirmant ce que la mère et la fille savaient déjà depuis ce matin. Avec l'Halloween, elle était inquiète. Et pour cause! La professionnelle de la balance avait permis la cueillette des bonbons! Et comme Daphnée assimile particulièrement bien les concepts que je lui apprends, elle a compris qu'un poids stable après une fête d'Halloween… ce n'est rien de moins qu'un succès!

Le but de l'exercice était d'introduire graduellement la notion de contrôle. Notre jeune fille de onze ans ne pouvait trouver une meilleure occasion pour subir le test. Venait avec l'expérience le risque d'une augmentation du poids. Voilà encore une fois l'exemple que l'apprentissage de nouvelles habitudes alimentaires ne passe pas toujours par une perte de poids! Y a-t-il une meilleure façon d'apprivoiser le contrôle que d'être confronté aux aliments convoités? En fait, il n'y a aucun mérite à contrôler sa fourchette avec le céleri! Daphnée travaillait sur deux objectifs à la fois. Le premier était d'apprendre à fixer ses propres limites de quantité, et le second consistait à bien établir le fait que la qualité de vie doit être omniprésente.

— J'ai mangé trois bonbons, lance la petite avec une humilité bien attendrissante.

Cet épisode est une épreuve réussie avec brio et devient une référence dans sa courte expérience de la vie. Il sera possible de rappeler ce moment à Daphnée lors des périodes difficiles. C'est un acquis de taille, et sa confiance en elle en bénéficiera grandement. Lorsque les tentations exerceront une force d'attraction insoutenable, elle devra se rappeler ces quelques mots: ça ne peut certainement pas être pire que l'Halloween!

— Si on explorait ta façon de procéder pour le dîner à l'école?

— Si je dîne à la cafétéria, je dois prendre ce qu'on me donne. Mais j'ai trouvé un truc! On peut demander des demi-portions, c'est génial, hein?

— Mais quelle bonne idée! Alors, c'est ce que tu fais?

Le sourire s'estompe. De toute évidence, nous venons de toucher un point sensible. La fête qui signe le contrôle des bonbons est terminée, le prochain défi met déjà un pied dans la porte, avec son lot de contrariétés. Daphnée ressent ce changement et le traduit dans son attitude. Elle fourbit les armes et dirige toute son attention sur le point critique. «

— En fait, ce n'est pas si simple… avoue-t-elle finalement, d'un air coupable et embarrassé. Je ne les demande pas. Ce serait facile pour moi, pourquoi est-ce que je ne le fais pas alors?

— Rien n'est facile. Nous allons parler des dîners et voir ce qui rend si difficile le choix des demi-portions. Ça va très bien se passer… souviens-toi des bonbons!

La pire erreur à commettre serait de traiter cette situation comme un problème. Tout simplement parce que ce n'en est pas un. Pas encore du moins. Nous n'avons pas encore élaboré de stratégie pour déterminer de quelle façon seront traités les dîners à la cafétéria. Daphnée agissait à sa guise au dîner, pendant que nous

nous attaquions au retour de l'école et à la soirée. La démarche est conséquente et logique. En ne perdant pas de vue l'objectif qui est de modifier les habitudes alimentaires à long terme, nous devons accepter que tout ne soit pas réglé du même coup! D'où l'importance, encore une fois, de ne pas focaliser sur le pèse-personne! La réussite des étapes ne se mesure pas en kilos perdus mais en accomplissements personnels.

Le poids qui diminue n'est qu'une conséquence indirecte, et non l'objectif principal. Bien entendu, rien n'interdit de nous attaquer à la fourchette sur tous les fronts à la fois; nous risquons par contre de manquer l'objectif et de devoir retourner à la case départ. Cette façon de procéder peut engendrer une énorme frustration qui, elle, est l'ennemi juré du contrôle. Au contraire, en montant les marches une à une, nous accumulons une précieuse énergie positive à la réussite de chaque étape. Cela fait en sorte qu'au fil d'arrivée, nous sommes gonflés à bloc. Cette différence n'est pas négligeable, le déroulement de la démarche ne peut être remis entre les mains du hasard.

La question qui hante Daphnée est légitime. Pourquoi ne choisit-elle pas les demi-portions puisqu'elles sont disponibles? Andréanne suit attentivement la discussion, elle n'a pas su quoi répondre à sa fille lorsqu'elle lui a fait part de cette situation étrange. Elle réalise une performance digne de mention avec l'Halloween, mais n'arrive pas à commander les demi-portions. Mais qu'est-ce qui cloche?

— Dis-moi, Daphnée, est-ce que tu dînes seule? Ou avec des amis peut-être?

— Eh bien, je suis avec deux amies... mais aux tables, nous nous connaissons presque tous.

— As-tu essayé de laisser de la nourriture dans ton assiette, comme si tu ne mangeais que ta portion habituelle, la même quantité qu'au souper?

— Non, je n'y ai pas pensé.

— Est-ce que tu en vois d'autres commander des demi-portions autour de toi le midi?

— Non, pas vraiment.

— Alors, si tu le faisais, tu serais la seule, n'est-ce pas?

— Oui.

— Les autres passeraient peut-être des commentaires, crois-tu?

— C'est certain.

— Alors j'ai une idée. J'aimerais que tu travailles très fort à laisser le surplus dans ton assiette. Et quand tu seras prête, tu commanderas les demi-portions.

Daphnée nous démontre toute son autonomie avec les bonbons parce qu'elle est seule devant son choix. L'attention de ses amis est portée sur la fête. Le dîner génère plus de pression, le regard des autres est un facteur aggravant. Ces situations se répèteront à l'infini, car nous vivons dans un monde où nous sommes constamment observés. Développer suffisamment de confiance en soi pour assumer ses propres choix est primordial. Avec le temps, la petite apprendra que, s'il est préférable pour elle d'opter pour les demi-portions, ce sera son choix, tout simplement. Et lorsqu'elle aura appris à le faire dans son assiette, elle le fera à l'épicerie… puis dans la vie.

Chapitre 22

J'équilibre mon budget...
pourquoi pas mon assiette?

———————●———————

Dans le monde de la balance, même la perfection peut être déce-
vante. Christopher l'a constaté amèrement. Établir ses objectifs
uniquement en fonction du chiffre sur l'appareil est risqué. Mieux
vaut y être confronté dès le début. L'avocat est déstabilisé, l'instrument est capricieux, c'est un difficile face-à-face avec la réalité.

— Je dois avouer que j'aimerais bien voir deux kilos en
moins! Avec le droit, on respecte la loi ou on ne la respecte pas!
C'est tellement simple!

— Félicitations! Un autre kilo vient de rendre l'âme! Où en
êtes-vous?

— Je m'aperçois que, lorsque je suis au restaurant avec des
amis, le défi prend un peu plus d'ampleur! Pourtant, je sais ce que
j'ai à faire!

— Et justement, que pensez-vous que vous devriez faire?

— Éviter les sorties de ce genre, pour un temps du moins.

Nous reconnaissons son tempérament perfectionniste et légè-
rement teinté d'orgueil. Dans le domaine du droit, cette méthode

a probablement fait ses preuves et est devenue un *modus operandi* très efficace. Suivons les traces de la logique, elles nous mèneront tout droit vers nos réponses! Notre avocat a remarqué que les sorties à l'extérieur l'entraînaient sur une pente glissante, alors, balayons ces difficultés sous le tapis.

— Vous comprenez, lorsque l'on paie une fortune pour un plat, il ne faut pas en laisser une miette! Le resto, c'est comme un investissement, il faut en avoir pour son argent. La seule façon, c'est de vider notre assiette.

En effet, Christopher semble bien connaître les pièges du gaspillage, et faire un budget n'est pas qu'un vague concept pour lui. Nous avons comme objectif de partir en voyage sous peu, qu'à cela ne tienne! Économisons et réduisons toutes ces dépenses superflues! Notre objectif étant le voyage, il n'y a aucune utilité à laisser les dollars se volatiliser pour des cafés insignifiants ou le vêtement qui nous fait tant craquer. Seul le voyage compte.

— Est-ce votre façon de voir les choses lorsque l'on parle de finances?

— Eh bien, je vous avouerais que ce raisonnement est des plus logiques!

— Nous discutons de la vraie vie, laissons de côté les concepts théoriques un instant.

— Oui... je crois que je vois un peu où vous voulez en venir.

— Pouvez-vous imaginer quel genre de vie ce serait? Il n'y en aurait que pour les objectifs supérieurs, tout le reste devrait être balayé du revers de la main.

En adhérant à ce genre de philosophie, cela correspondrait à nier que nous sommes humains, tout simplement. Ils sont peu nombreux, ceux qui parviennent à optimiser à ce point leurs finances personnelles. Et, faut-il se le demander, de quel genre de qualité de vie hérite-t-on en observant ces principes rigides sans discernement? La sacro-sainte qualité de vie, un incontournable dans le monde du portefeuille! «Pouvez-vous imaginer vivre sans vous payer la moindre dépense insignifiante?» que je lui demande, sachant très bien à quel point il tient à son cappuccino quotidien, une petite folie inutile mais combien réconfortante!

— Je dois dégager l'image d'un avocat prospère. C'est de cette façon que l'on arrive au sommet. Donc, si un jour je dois couper tous les cappuccinos pour me payer un habit griffé, je le ferai sans regret. Lorsque j'aurai atteint les hautes sphères, ces détails ne seront plus un problème! Mon poids fait partie de cette image, alors réglons le problème et n'en parlons plus!

— La fourchette a ses propres règles. L'authenticité est la clé du succès.

Le jeune avocat vise très haut et il établit ses standards comme tels. La contrepartie de cette philosophie est qu'il est sensible à l'opinion que les autres ont de lui. Il devra garder l'équilibre, lequel fera en sorte que la pire facette de l'échec ne sera pas le regard des autres. Rajuster nos convictions peut être bénéfique, et ce sera la prochaine étape à franchir pour Christopher. Sa philosophie de vie ne me concerne pas... sauf lorsqu'elle se répercute dans son assiette! Avec une vision aussi catégorique des repas au restaurant, il faut intervenir.

Il est inconcevable pour un avocat, ou pour quiconque en fait, d'imaginer couper ces rencontres. Cela contrevient directement à notre premier principe qui est de modifier les habitudes alimentaires de manière à ce qu'il soit possible de les maintenir à long terme. Qui plus est, nous devons absolument comprendre que le prix payé n'est pas en fonction du nombre de bouchées de nourriture contenues dans l'assiette! Il reflète davantage l'ambiance, le bon moment passé, le divertissement qu'il nous apporte. Ne devient-il pas évident alors qu'il n'y a aucune obligation à vider cette assiette? La règle à suivre est des plus simples: choisir le plat qui nous fait plaisir et en contrôler la quantité. La difficulté réside à cette étape. Mais une fois acquise, ce contrôle sera l'élément qui déterminera si le maintien à longue échéance est possible.

La notion de budget est un élément de comparaison de choix. Nous ne pouvons nous payer tout ce dont nous rêvons, il en est de même avec la fourchette! Il faut faire des choix et établir des priorités dans nos désirs. L'assiette suit la même logique, les extras doivent conserver leur place. S'ils sont bien choisis, en fonction de ce qu'ils apportent à notre qualité de vie, ils joueront leur rôle, ni plus ni moins. La façon dont nous gérons notre portefeuille peut-elle nous faire voir la fourchette sous un autre jour? Hors de tout doute, j'en suis convaincue. Alors, pourquoi ne pas essayer d'équilibrer cette assiette, comme nous le faisons avec notre budget?

Chapitre 23

Les calories...
de la théorie à la vraie vie

---•---

La dernière rencontre a jeté un grain de sable dans l'engrenage bien huilé. En plein désarroi, Michel avouait qu'envisager l'avenir sous l'angle de la privation devenait de plus en plus lourd. Ses craintes de mourir et ses coupures drastiques ont enfin porté leurs fruits! Il devait trébucher pour repartir du bon pied. Reste à savoir si les deux dernières semaines ont apporté de l'eau au moulin de sa réflexion.

— Nous avons décidé de partir en vacances! lance Marie-Line.

— Vous aviez raison la dernière fois. Ce n'est pas une vie! Éliminer complètement les extras et mettre notre existence sur pause jusqu'à l'atteinte du poids magique.

— Vous devriez être excité, Michel, vous allez passer votre premier test de contrôle!

— Et si je ne le passe pas, justement, qu'arrivera-t-il? On abandonne?

— Ce sera une mine d'or d'information, car nous saurons où se trouvent vos points faibles.

L'objectif principal de toute la démarche est d'amener Michel à revoir les comportements qui nuisent à sa santé. Bien entendu, il est question de la fourchette, mais aussi de tout ce qui s'y rattache de près ou de loin. C'est précisément à ce niveau qu'intervient le rôle du conjoint ou de la conjointe. Son attitude pourra être facilitatrice et bienfaisante. Ou, au contraire, néfaste et destructrice. En effet, Marie-Line doit être traitée comme l'un des éléments principaux du plan. Est-il encore nécessaire d'insister sur le fait qu'il est impossible de régler définitivement un problème de poids en ne s'attaquant qu'aux calories contenues dans notre tranche de pain?

Mais comment peut-on accorder autant d'importance à la conjointe, dans ce cas-ci, alors que le but est que Michel puise sa motivation dans ses propres désirs et ses besoins personnels? En posant la question, la réponse devient soudainement plus évidente. Marie-Line fait partie des désirs de Michel, et voir ce couple comme deux entités indépendantes serait illogique. L'inspiration de cet homme pour perdre ses kilos superflus doit tenir compte de son objectif d'améliorer sa santé, tout en s'assurant que ses nouveaux comportements n'entreront pas en conflit avec sa relation de couple.

L'impasse peut rapidement se produire lorsque l'accent n'est mis que sur le contenu de l'assiette. Le candidat investit toute son énergie à contrôler le chiffre sur la balance, tout le reste est occulté. Les gens ne sont pas conscients du piège que peut devenir cet instrument pour eux. Ils établissent des liens qui paraissent logiques à leurs yeux et ne voient pas nécessairement jusqu'où les kilos peuvent étendre leurs tentacules dans leur vie. Je coupe partout, n'importe comment… et je fondrai! Et par la suite, que se passera-t-il? Par quelle sorte de magie réussirons-nous à maintenir ce poids? Quelle science infuse nous dira que c'est tel ou tel comportement qui a mené à ces kilos en trop? Si nous ne sommes pas conscients des troubles qui ont causé ces petits bourrelets, comment croire que la même chose ne se reproduira pas de nouveau, puisque rien n'aura changé, en fait?

Ce genre de propos doit être soulevé régulièrement, mais amené sous différents angles. Le mur que Michel a heurté il y a deux semaines est salutaire. En réalisant qu'il ne pouvait envisager son avenir sous le signe de la privation et de la crainte de mourir constantes, il a soudainement ouvert son esprit aux options que je lui proposais. Voilà pourquoi il ne faut pas croire que trébucher nous ramène en arrière, au contraire, c'est parfois le plus grand pas en avant que nous puissions faire!

Mais comment transposer ces concepts théoriques dans la réalité d'un «tout inclus»? Je rappelle à Michel qu'il sera immergé dans un fabuleux bain de tentations. Notre quotidien est habituellement encadré par un horaire où les obligations limitent les occasions de manger sans raison. C'est justement ce cadre rigide qui disparaît avec les vacances. Le même problème se pose lorsque la retraite sonne à notre porte ou qu'un congé forcé se présente, que ce soit pour un problème de santé, une grossesse ou une perte d'emploi.

Il est beaucoup plus facile d'assimiler de nouvelles habitudes alimentaires dans le cadre d'un quotidien bien structuré. D'ailleurs, le mérite est d'autant plus grand pour celui qui se voit dans l'obligation de fréquenter les restaurants régulièrement, où les réunions sont souvent à l'horaire et où l'expression «heures régulières de repas» ne s'applique jamais. Le défi est de taille mais pas insurmontable. Même ceux d'entre nous qui ont une routine bien établie auront un jour ou l'autre l'obligation de composer avec des bouleversements qui viendront ébranler leurs habitudes. Alors, que se passera-t-il si nous n'avons jamais exploré ces zones grises? Aurons-nous à capituler devant une balance qui part à la dérive? Si nos seules connaissances pour gérer notre poids se limitent à une semaine typique, comment croire que nous nous en sortirons indemnes au moindre dérangement?

— Je ne sais pas du tout comment je vais m'en sortir, avoue candidement Michel, mais je sais que nous devons partir en vacances. De ça, j'en suis certain!

Son objectif est désormais d'adapter le régime à son mode de vie... et non le contraire. «Vous voyez, Michel, vous visiez à faire exactement l'inverse en cherchant à centrer votre vie sur votre assiette!» Par contre, je m'empresse de le rassurer sur l'issue probable de cette escapade : «Ne vous en faites pas, j'ai des solutions à vous proposer!»

✳✳✳

Qui voudrait occuper la majeure partie de son temps à se battre avec une calculatrice et un livret intitulé *Contenu calorique des aliments* dans un tout inclus? La règle est d'adapter les objectifs au contexte. Il est tout à fait réaliste de viser une perte de poids lorsque nous traversons une période calme dans notre vie. Par contre, lorsque le tumulte se fait sentir, envisager une perte de poids est plus ou moins réaliste. Réussir à ne pas engraisser est un exploit dans certaines circonstances, et notre énergie devient multipliée par cette victoire. «Si vous réussissez à maintenir votre poids, ou à ne prendre qu'un seul kilo, l'exercice sera concluant!» La stratégie est simple, mais elle demande d'avoir fait un certain cheminement personnel. Le retraité n'aurait définitivement pas été prêt à assimiler ce concept il y a quelques semaines, mais aujourd'hui il voit les choses autrement. La preuve, encore une fois, que le succès ne se mesure pas qu'en kilos!

— Vous comprenez maintenant, Michel, ce que veut dire *Les calories… de la théorie à la vraie vie!*

Chapitre 24

Couper le pain...
pour du bon vin

C'est possible de manger des pommes de terre! Même des gâteries! Ai-je droit aux pâtes?

Certains douteront de l'efficacité de la méthode au départ, mais s'y rallieront presque instantanément, enfin soulagés de trouver une solution qui leur ressemble. Les craintes du début se transforment rapidement en espoir. Au lieu d'entrevoir ce qui ne laissait place à aucun passe-droit et apportait des semaines de privation difficilement soutenable, ils voient dorénavant la lueur au bout du tunnel. Perdre du poids, et surtout ne pas le reprendre par la suite, devient tout à coup réaliste.

Florence fait partie de cette catégorie. En fait, chez cette femme de quarante-deux ans, l'obstination a été salutaire. Son entêtement lui a permis de fracasser le mur de ses perceptions. Cette quatrième rencontre nous permet donc de soulever directement le problème de Florence, celle-ci étant réceptive et positive. Tout l'opposé de la femme directive et réfractaire de la première rencontre.

— Avez-vous réussi à vous rapprocher de notre objectif d'un verre de vin par jour?

— Il y a encore des écarts, mais c'est suffisant pour que je sois convaincue d'y arriver!

— L'absence totale d'un petit plaisir est dramatique. Lorsque l'option de diminuer est possible, nous savourons encore plus le peu qui nous est permis!

— Vous ne pouvez imaginer à quel point je savoure mon unique verre!

Se satisfaire avec moins, c'est ça, le contrôle. Encore une fois, «ce n'est pas le chocolat qui fait engraisser, c'est trop de chocolat». Et cela s'applique à tous les aliments. Même le céleri n'a aucune raison d'être consommé à outrance! Le principe semble prendre racine dans l'esprit de Florence, mais il ne faut pas être dupe, car beaucoup de travail reste encore à faire. Et comme si elle lisait dans mes pensées, elle confirme rapidement mes craintes, nous obligeant à affiner notre stratégie.

— Lorsqu'une occasion fait que j'ai vraiment le goût de prendre plus qu'un seul verre de vin, je coupe quelques tranches de pain dans ma journée. Tout s'équilibre!

— Ce n'est pas la bonne stratégie. Elle est même à proscrire totalement! C'est une avenue qu'il faut délaisser tout de suite, parce que trop de danger y est associé.

— Mais pourquoi? J'ai vu sur Internet que les calories s'égalaient!

Ce piège est fréquent et trop sournois pour qu'il soit passé sous silence. Le manque d'information est le grand responsable de sa popularité. Comment ne pas succomber à la tentation de couper le brocoli… pour le transformer en gâterie? Lorsque le plan alimentaire est établi et qu'il est suivi depuis un certain temps, nous pouvons en arriver à croire que nous maîtrisons la situation. C'est ce qui nous rend particulièrement vulnérables à effectuer de petits ajustements personnels, ceux qui nous permettent de trouver des trucs astucieux pour augmenter les plaisirs gourmands!

Chacun d'entre nous a connu des moments de ce genre. On croyait bien faire, mais voilà que l'on s'aperçoit qu'on a tout faux!

Il s'ensuit une période d'errance mentale où nous en venons à douter de notre jugement. «Ce n'est quand même pas si difficile de m'en tenir au plan établi! Mais non, c'est bien trop simple pour moi!» explose Florence. Cet épisode n'est qu'une déception, tout au plus. Une parmi plusieurs autres à venir!

Certains comportements sont reconnus comme étant une auto-route menant directement vers l'échec. Celui-ci est notoire. Nous devons impérativement traiter le plan de base séparément des extras. Ces extras représentent les boissons alcoolisées, les desserts, les croustilles et toutes les autres gâteries. En fait, tout ce qui ne fait pas partie du Guide Alimentaire possède son propre objectif. La tentation est forte d'essayer nos combinaisons personnelles. Encore faut-il être suffisamment perspicace pour détecter ce comportement. Comme nos expériences passées avec la balance sont toutes différentes, il est possible que certains d'entre nous cherchent à cacher ces écarts de régime. Parce qu'une certaine culpabilité est toujours présente.

— Le piège est subtil mais réel, Florence. Le plan calorique que j'ai calculé pour vous tient compte de vos besoins énergétiques. Ce sont les calories. Mais surtout, les vitamines et minéraux sont en quantité adéquate. Si vous remplacez du pain par un verre de vin, bien sûr, les calories s'équilibrent! Par contre, vous venez d'éliminer une source de fibres, de fer, de vitamines du complexe B, et j'en passe!

— Mais si je ne le fais qu'une fois à l'occasion, est-ce encore nuisible?

— Une mauvaise habitude a toujours débuté par une fois!

Cette semaine, l'instrument est ami avec Florence. L'appareil qui fait foi de tout la remercie de deux kilos en moins. C'est excellent! Mais heureusement, ce n'est pas notre objectif... sinon, nous serions passées à côté d'un danger, croyant que tout était parfait. Sachant que le bordeaux est son point faible, Florence doit comprendre qu'il est absolument proscrit de faire des substitutions. Il est facile d'imaginer où cela pourrait la mener. Couper dans l'assiette pour remplir son verre... la suite fait frémir!

Chapitre 25

Qui gagnera la bataille
contre la génétique?

———◉———

La période de croissance peut nous paraître une éternité et nous amener à croire que nous avons tout notre temps. Mais il n'en est rien! Les dégâts sont vite arrivés, et les réparer demande du temps! Daphnée n'a pas l'intention de laisser les choses traîner en longueur. La détermination dont elle fait preuve pourrait faire rougir bien des adultes; elle a un avenir qui promet, j'en suis convaincue. Mais, pour l'instant, tenons-nous-en au concret.

Son air renfrogné et son regard vers le sol détonent avec la mine radieuse de sa mère. «J'avais tellement hâte à notre rendez-vous, vous n'avez pas idée!» me confie Andréanne. La petite monte rapidement sur l'instrument, sans un mot. «Deux kilos en deux semaines… c'est une grosse augmentation! Il s'est certainement passé quelque chose, ma belle.» Je lui passe la boîte de papier mouchoir, ses larmes coulent à flot. C'est une bonne chose, les émotions sont enfin évacuées et nous pouvons passer à l'étape suivante. Sa logique est de retour, la discussion s'engage naturellement.

— J'ai fait exactement comme les semaines d'avant!

— Réfléchis bien, Daphnée, il faut trouver ce qui est arrivé.

— Je te le jure! marmonne la petite, en essuyant les nouvelles larmes qui ruissellent.

— Je sais que tu es déçue, mais c'est normal que cela arrive. Il faut que ça arrive même!

— Il ne faut pas que ça arrive! Je viens de retarder de combien de temps encore!

Daphnée vit la culpabilité sous son pire jour, celle qui l'empêche d'avancer. Dans cet état, elle perd tout son jugement. Pire encore, son refus de regarder le problème objectivement est la vraie perte de temps. D'une personne à l'autre, cette période peut varier. Chez certains, une telle situation pourrait même mener à la pire des conséquences, c'est-à-dire l'abandon. Il n'existe aucune solution miracle pour se sortir d'une telle impasse. Accepter, c'est tout. Si votre parcours est sans tache, il y a fort à parier qu'un jour la réalité vous rattrapera! Des hauts et des bas se succéderont, c'est inévitable. Un petit creux de la vie ne passe pas. Les émotions prennent possession de votre jugement et le détruisent en miettes. Le nouveau grand chef d'orchestre prend toute la place, c'est maintenant la culpabilité qui détient tous les pouvoirs.

Il n'y a pas d'âge pour connaître les déboires liés à la culpabilité. À onze ans, Daphnée ne peut mettre un nom sur ce qu'elle ressent, cependant les résultats sont les mêmes. L'effet est dévastateur. Nous pouvons tous témoigner de ces épisodes. Lorsque nous dévions du chemin tracé, la pire solution à privilégier serait de mettre un terme au projet. Pourtant, c'est souvent la seule issue qui nous est visible dans ces moments de crise. La culpabilité a un effet pervers: elle nous pousse à répéter de plus belle le comportement nocif. Si nous nous sentons coupables d'avoir abusé des desserts, elle nous poussera à recommencer cet excès. Je n'aurais pas dû manger cette pointe de tarte! Bah! aussi bien la terminer! Malheureusement, la suite de cette logique tordue est souvent le sentiment d'échec... et l'abandon pur et simple du projet.

Où est cachée cette issue que nous n'arrivons pas à distinguer derrière la brume de la culpabilité? Il suffit d'accepter. Il faut cesser de nous battre contre le fait que rien ne semble fonctionner en ce moment. L'occasion est venue de jeter les armes, mais cela ne signifie aucunement de nous avouer vaincus. Au contraire, puisqu'il faut maintenant nous équiper de tout notre courage. Et ce même courage, lorsque bien utilisé, devient notre plus redoutable force de frappe! Foncer la tête la première dans une porte fermée peut être une option, bien sûr! Mais s'arrêter un instant pour prendre le temps de l'ouvrir, puis s'y engager tranquillement est de loin la meilleure solution! Il est grand temps pour Daphnée de stopper la machine et d'examiner attentivement où se situe la difficulté qui l'empêche ainsi de poursuivre son objectif. Voilà la raison pour laquelle il est si bénéfique que les émotions soient évacuées: la brume de culpabilité se dissipe, nous y voyons plus clair.

— C'est ton premier moment difficile. La prochaine fois, tu sauras que ce n'est pas si pire, parce que tu vas te souvenir d'aujourd'hui. Et chaque fois, tu vas maîtriser la situation de mieux en mieux. Alors, les périodes déplaisantes dureront moins longtemps.

— Ça ne peut pas toujours aller bien et il faut que j'apprenne quoi faire, explique calmement la jeune fille, maintenant en parfait contrôle de ses émotions.

Daphnée raconte comment un certain dîner est devenu le moment décisif. «Une fille dînait avec nous et, me voyant laisser des aliments dans mon assiette, les questions ont commencé.» Devant l'insistance de l'autre, Daphnée a finalement avoué vouloir contrôler son poids. «Elle s'est mise alors à me dire tout ce qu'elle mangeait, sans même prendre un seul kilo! Même lorsque je ne faisais pas attention, je ne mangeais pas autant qu'elle!» Toutes les révélations de la jeune étudiante ont eu l'effet d'une bombe dans l'esprit de Daphnée. «Tu devrais essayer de ne pas te priver. Juste manger tant que tu en as envie. Tu vas voir, moi, ça marche», lui répétait sans cesse sa copine.

— Et alors, c'est ce que tu as fait... Tu voulais tellement y croire que tu as essayé.

— Ensuite, il était trop tard! Après trois jours, je ne pouvais plus m'arrêter!

Quelle espèce d'injustice fait en sorte que cette fille peut se gaver à volonté? Sans le moindre impact sur la balance! La génétique peut expliquer cette situation. Par contre, il est faux de croire que notre bagage héréditaire fait foi de tout dans l'univers des kilos. C'est un déterminant majeur et il doit être pris en considération dans l'élaboration du plan alimentaire. Si vos gènes sont du bon côté, il y a peu de possibilités que vous vous retrouviez devant moi! Par contre, si vous avez remarqué que vos parents et grands-parents étaient bien enrobés, vous avez peut-être gagné le gros lot et hérité de ce fantastique mécanisme de protection contre la famine! La génétique n'est pas une calamité qui nous transformera nécessairement en obèses. Ce n'est qu'un élément parmi plusieurs autres qui nous rendra susceptibles de prendre du poids lorsque nous mangeons plus que nos besoins. Il faut composer avec nos gènes et accepter cette fragilité; il ne sert à rien de nous comparer à ces personnes qui ont été préservées de cette facilité psychologique à engraisser. Avec la loterie génétique, nous pouvons nous apitoyer ou choisir d'apprécier les facettes qui nous avantagent. Encore une fois, notre philosophie à propos de la balance reflète notre vision de la vie en général, et l'optimisme est la voie à privilégier. Pour gagner la bataille de la génétique, il faut travailler avec elle!

Chapitre 26

Suivre les tendances...
la diète « saveur du mois »

Le mari se fait attendre, et les enfants, n'en parlons même pas! Sans oublier que les relations personnelles seraient facilitées avec un corps bien proportionné. En effet, il est tellement plus intéressant de s'adresser à une personne qui n'est pas affublée de petits bourrelets! Ces croyances sont bien ancrées dans l'esprit de Maude et compliquent davantage son cheminement vers l'équilibre avec la balance. Mais tout n'est pas noir, puisque nous avions convenu qu'il lui serait bénéfique de troquer l'entraînement en salle pour des marches occasionnelles dans son voisinage. Cependant, il semble que l'appareil soit en contradiction avec les plans de la jolie dame de vingt-huit ans. « C'est notre quatrième rencontre et, encore une fois, le poids est stable! » explose la jeune. La balance nous parle et si elle ne collabore pas, c'est qu'elle a un message à faire passer!

Lors des deux rencontres précédentes, nous avions réussi à déchiffrer l'origine de cette stagnation. Maude s'amusait avec son métabolisme en poussant à fond la machine dans la salle d'entraînement, pour ensuite y aller allègrement de quelques gâteries supplémentaires. Le tout en alternance avec des jours entiers de privation excessive. Pour compléter le tableau, l'adjointe administrative célébrait joyeusement ses lundis soir avec le traditionnel sac de croustilles, format familial! Il semble que la situation mérite d'être éclaircie, et qu'un peu de discipline s'impose!

Nous commençons le rappel avec le déjeuner, où elle me confie avoir pris un jus d'orange. Je m'attends à ce qu'elle m'énumère le reste, mais elle passe directement au dîner. Le dîner consiste en une soupe. «Une autre soupe pour le souper… et je n'ai pris aucune collation en soirée!» termine-t-elle avec le sentiment d'avoir répondu aux attentes. Je dépose lentement mon stylo, en prenant une grande respiration. Ne jamais tenir pour acquis qu'un concept est bien assimilé! «Mais qu'est-ce que c'est que ça, Maude?»

Une collègue lui a fait part de sa dernière trouvaille dans le domaine des diètes infaillibles. «Il paraît qu'on peut fondre à vue d'œil! » explique-t-elle. Je suis curieuse de connaître l'élément déclencheur. Ne reste-t-il vraiment rien des discussions de nos trois rencontres précédentes? J'en suis à me demander si Maude est mûre pour des changements d'habitudes alimentaires permanents. L'univers des diètes miraculeuses n'est régi par aucune règle logique. La foi y règne en maître. Ceux qui sont happés par leur tourbillon de croyances inusitées semblent perdre soudainement tout sens critique. Plus les kilos en trop accaparent l'état d'esprit, plus grande est la vulnérabilité. Pour détruire la montagne d'illusions construite chez le sujet, la tâche est colossale.

Et dans un souci d'éviter les pertes de temps et d'énergie, il peut s'avérer souhaitable d'exposer les faits clairement. Après plusieurs tentatives, si la personne ne reprend pas le droit chemin, elle devra poursuivre sa route seule. Entreprendre des changements permanents n'est pas une mince tâche, et comme nous l'avons vu précédemment, la première condition est d'être disposé à y investir toute l'énergie nécessaire. Certaines personnes devront vivre ces diètes restrictives, en connaître les effets, pour ensuite arriver à la conclusion que la vraie solution se trouve ailleurs. Si le contexte n'est pas propice à faire de vrais changements, aucune autre alternative n'est possible.

— J'ai un nouveau copain! Presque deux semaines! Il est vraiment beau!

— Vous ressentez davantage de pression à perdre les kilos en trop! Est-ce possible?

— Je crois que oui… J'ai très peur, répond-elle d'une voix à peine audible.

— A-t-il mentionné qu'il ne vous fréquenterait plus si vous ne maigrissiez pas?

— Mais non! Il n'a fait aucune allusion à cela.

— Exactement! Vous êtes magnifique et resplendissante… aujourd'hui! Pas dans trois mois quand vous aurez perdu du poids! Alors, d'où peut bien provenir cette pression, si ce n'est pas lui qui vous l'impose. Étrange, non?

— Ce sont mes peurs de ne pas plaire. Et je dois me faire confiance, cesser d'être à la recherche de l'approbation des autres.

— Voilà, Maude. Maintenant, que pensez-vous d'un verre de jus et deux soupes par jour?

Il faut tuer chacun des arguments farfelus par des faits et des explications plausibles. Ramener la logique dans cet univers n'est pas chose facile, mais tant que Maude fera preuve d'ouverture, j'y serai pour lui donner l'heure juste. Il ne faut pas avoir peur de répéter ces concepts aussi souvent qu'il le faudra. «Vous créez d'énormes frustrations en vous privant ainsi à l'extrême, et alors, c'est terminé le contrôle, ce n'est plus possible de se retenir lorsqu'une rage se produit.»

Je lui fais comprendre qu'une fois la frustration et la culpabilité installées, elle ne pourra plus se contrôler. «La raison est simple, Maude, une personne frustrée ne peut être satisfaite! Il n'y aura jamais suffisamment de croustilles pour vous satisfaire.» C'est pourquoi les régimes stricts sont suivis de pertes de contrôle qui ramènent le poids à des sommets encore inégalés, toujours plus haut. Le jeu du yo-yo est lancé!

Les obstacles que Maude rencontre en ce moment seront ses plus grandes réalisations. Alors, il va de soi qu'elle doit y investir une énergie considérable. Ce qu'il en ressortira viendra mouler le déroulement des années à venir. Lorsque ses incertitudes seront bien maîtrisées, les kilos en trop s'élimineront presque comme magie! À la condition, bien sûr, qu'elle ne quitte pas le bateau en cours de route!

— C'était une idée stupide, mais j'ai appris! Je ne devrai jamais oublier!

***

Se satisfaire avec moins! Une phrase pourtant simple, mais qui garantit le succès à long terme d'un plan alimentaire. Pour y parvenir, il faut éviter à tout prix la frustration. Celle qu'entraînent inévitablement les diètes miraculeuses parce que la ronde infernale s'amorce. La culpabilité s'incruste et nous empêche toute satisfaction. Au contraire, le but de la démarche que je propose à Maude est de ne rien interdire, il n'y a pas d'autre moyen d'apprendre à se contrôler. Nous pouvons manger tout ce que nous voulons, parce que nous savons quand nous arrêter! La logique est flagrante, mais elle n'est pas facile à assimiler parce que la culpabilité nous guette sournoisement à chaque détour. Alors, évitons la route des diètes miraculeuses à la «saveur du mois»!

Chapitre 27

Repartir à zéro...
encore une fois

En étant conscients des vraies raisons qui nous poussent à modifier nos habitudes, la route devant nous se révèle plus clairement. Tout cela semble tellement évident. Pourquoi prendre la peine de le spécifier encore une fois? Tout simplement parce que nous perdons ces objectifs de vue, et la balance prend le dessus. Les gens émotifs se feront prendre au piège lorsqu'ils auront le malheur de relâcher leur vigilance. Rencontres entre amis, moments de solitude peuvent devenir matières dangereuses! Et souvent, l'appel incessant des petits extras se fait même sentir dans la quiétude de notre salon... Alors, nous ne sommes vraiment à l'abri nulle part!

Certains croiront que les esprits forts et bien en contrôle de leur destinée sont protégés de pareilles dérives. Nous serions même tentés de penser que ces gens n'ont aucun mérite. Si tel était vraiment le cas, pour quelle obscure raison alors se retrouvent-ils avec un surplus de poids? Ils ont inévitablement connu certains moments de faiblesse! Vraiment, la balance ne fait de cadeaux à personne, et nous sommes tous égaux devant son cadran! La nourriture nous fait du bien et réconforte. C'est exactement ce qui fait en sorte qu'il est si facile de nous y attacher! Un régime copié dans une revue ou vanté par une vedette ne peut faire le poids. Il faut une arme redoutable pour s'attaquer à une fourchette éparpillée dans ce monde de tentations!

L'imperturbable Christopher fait partie de cette catégorie de gens qui maîtrisent parfaitement bien leurs émotions. Mais notre instrument a fait ressortir que le célibataire ne tolère pas que les résultats diffèrent de ses attentes. À grands coups d'explications logiques, il a finalement accepté les faits.

— Ma mère a été hospitalisée, je vais la visiter, je suis toujours au restaurant! J'en suis à me demander si je ne devrais pas laisser tomber la perte de poids pour l'instant.

— C'est une option. Mais il y en a une autre. L'avez-vous considérée, Christopher?

Dans son monde parfait, l'option d'admettre que ses objectifs ne seront pas atteints pendant un moment, c'est hors de question! Il a donc inconsciemment balayé la seule option possible, c'est-à-dire réviser à la baisse ses attentes en matière de kilos. On peut supposer que, pour lui, mieux vaut tout abandonner, laisser le poids remonter sans contrôle... et repartir à zéro!

— Pourquoi est-ce que je suivrais un plan, si je dois m'attendre à n'avoir aucun résultat? Comme il manque d'information, son analyse de la situation ne reflète pas la réalité.

— L'erreur est juste ici, Christopher, vous croyez qu'il n'y a pas de résultat si le chiffre sur la balance ne diminue pas. Imaginez le bagage d'expérience que vous aurez acquis après avoir traversé cette période! Si vous désirez un jour atteindre le poids que vous visez, et surtout le maintenir, vous devrez maîtriser un concept à la perfection: l'adaptation. Vous le faites déjà dans votre quotidien, mais vous devrez pousser l'adaptation encore plus loin, c'est inévitable avec la balance. Vous devez adapter vos objectifs au contexte. Il faut parfois changer nos plans lorsque la situation prend un tournant inattendu. Si vous apprenez des faits nouveaux sur votre cliente, vous allez revoir votre stratégie. Vous n'abandonnerez pas son dossier sous prétexte que la situation a changé! La gestion de nos kilos demande la même flexibilité! Et les grands gagnants du maintien sont ceux qui réussissent à maîtriser cette gestion.

La balance s'impose maintenant dans sa vie, avec ses propres règles. Il ne faut plus écarter ces obstacles, il faut au contraire les observer. Chacune de ces contraintes doit être étudiée pour découvrir comment la maîtriser lorsqu'elle se représentera sur le chemin. C'est ici que la personnalisation du plan prend tout son sens. Nous ne rencontrerons pas tous les mêmes difficultés. Pour Christopher, les restaurants, les réunions, les parties de golf font partie de sa réalité. Il doit apprendre à composer avec les défis qui en découlent. À l'inverse, Maude doit dompter ses démons dans son salon. Des réalités différentes qui imposent des solutions adaptées.

Appuyer sur le bouton arrêt et tout laisser tomber ne fait que retarder des apprentissages déterminants. Au contraire, s'il persévère, dès qu'il aura appris à composer avec ses sorties, Christopher fera un énorme pas en avant. Alors, après toutes ces explications, pourquoi hésite-t-il encore à faire le petit pas? Pour quelle raison préfère-t-il tout jeter par-dessus bord... et recommencer à zéro plus tard?

— Vous oubliez une chose capitale, me confie-t-il, des gens sont au courant de ma décision de perdre du poids. Alors, je peux vous l'assurer, il vaut mieux tout laisser tomber, la raison est noble d'ailleurs!

— Rajuster vos objectifs de départ n'est pas un échec, c'est le signe d'une grande capacité d'adaptation. Vous trouverez la manière d'expliquer la situation, mais vous devez d'abord accepter de la comprendre!

L'orgueil de l'avocat vient mettre du sable dans l'engrenage. Pour la spécialiste des kilos en trop, c'est l'occasion rêvée de mettre en branle les mécanismes de contrôle de la fourchette. La vision du célibataire est troublée, l'un de ses traits de personnalité complique son apprentissage.

C'est souvent ce que fait ressortir la balance : elle nous jette en plein visage nos petits travers! Il faut savoir tirer profit de ces situations. Connaître nos réactions dans l'adversité est essentiel, sinon, le contrôle de notre poids est une illusion. Évitons de repartir à zéro!

Chapitre 28

Mais qui donc
tient la fourchette?

———————◆———————

Après avoir avoué candidement qu'elle coupait dans le pain pour se permettre du bon vin, Florence a encore de quoi nous surprendre. Certains n'arriveront jamais à mettre le doigt sur l'élément crucial. Celui qui fait en sorte que, sans arrêt, ils reviennent au point de départ. Perdre du poids devient alors un éternel recommencement. Est-il étonnant qu'avec le temps la balance devienne un symbole de destruction? Il en est ainsi de notre vision des choses. Rien n'oblige à nous enliser dans le défaitisme. Notre attitude déterminera si nous faisons une croix à jamais sur tout effort en vue de contrôler notre poids. Toutes ces raisons peuvent constituer un frein… ou un accélérateur! Mais quel est l'élément qui déterminera pour laquelle de ces deux options nous opterons? C'est en cherchant la clé de cette énigme que nous sommes le plus à risque de prendre la mauvaise direction. Lorsque nous nous retrouvons à la croisée des chemins, au moment où nous sommes vulnérables parce que notre poids nous pèse, des gens peuvent vouloir nous indiquer la route. Leur route.

Cette collègue qui nous veut du bien et qui insiste pour que nous suivions son propre tracé. *Ces bourrelets sont affreux!* semble-t-elle nous susurrer à l'oreille. Même le regard inquisiteur d'un patron peut nous accuser. Et que dire du petit copain, n'at-il pas le droit de donner son avis sur nos défauts corporels? Il peut arriver un moment où tous ont l'air de se mobiliser pour nous montrer la route à suivre. Cette croisée des chemins est épuisante, nous ne savons plus qui écouter.

Si vous vous reconnaissez dans l'une ou l'autre de ces situations, de grâce, ne bougez pas! Regardez bien attentivement le feu de circulation. Il est au rouge pour vous! Lorsque vous sentez la pression autour de vous, que l'on semble vous indiquer le chemin de la balance, il est grand temps d'arrêter la machine. Ce moment d'introspection est nécessaire. Malheureusement, aucun panneau n'indique les instructions pour faire un bon questionnement personnel. Comment doit-on procéder pour réfléchir sur soi? Et si nos réponses n'étaient pas les bonnes? Comment s'y retrouver dans cette bataille avec la balance? C'est un fait, les incertitudes sont nombreuses au moment où la confiance en soi est à son plus bas. La situation n'est pas idéale.

Il faut éviter de nous retrouver dans cette position très inconfortable. Être à l'écoute des autres est une qualité remarquable, mais être à l'écoute de soi l'est davantage. Nous sommes les seuls à pouvoir déceler les indices qui nous crient haut et fort que le moment est venu d'avoir un sérieux tête-à-tête avec le pèse-personne. Ces gens qui semblent connaître la solution à notre problème de poids et qui veulent diriger notre fourchette n'ont pas toujours conscience de l'impact négatif qu'ils produisent. Au lieu d'être un élément aidant, par leur insistance ils font partie du problème.

— Au début, je me contentais de lui rappeler que j'étais suivie par une professionnelle, confie Florence. Lorsque je prends mon verre de vin, les commentaires n'arrêtent pas!

— Êtes-vous rongée par la culpabilité ou réussissez-vous à faire la part des choses?

— Je me sens coupable! *Tu veux maigrir et tu prends du vin tous les soirs…*

— L'estime de soi, Florence, c'est très précieux. Vous n'êtes pas une personne de second ordre parce que vous avez du poids à perdre.

Il n'y a rien d'étonnant à ce que ce point soit relevé après six semaines. Les premiers jours, nous nous attendons à ce que nos connaissances émettent des commentaires sur les changements qui s'opèrent devant eux. Dans la plupart des cas, ces remarques relèvent de la curiosité. N'étant pas familiarisés avec la démarche de perte de poids, les proches multiplient les questions! Nos réponses sont habituellement suffisantes pour calmer leur intérêt! La suite dépendra de plusieurs facteurs. Certaines personnes deviendront des facilitateurs, elles vous appuieront et vous seconderont dans vos dépassements. D'autres perdront graduellement tout intérêt dans vos projets. Et quelques-unes vous rendront la vie impossible! Dans le but de vous aider, bien entendu! Encore une fois, nous nous retrouvons face au même constat: nous sommes avec la balance comme nous sommes dans la vie!

À chaque décision que nous prenons dans notre quotidien, nous nous attendons à recevoir les commentaires des gens qui nous entourent. Ils sont constructifs ou dévastateurs, intéressants ou sans intérêt. Si nous sommes en mesure de bien les gérer habituellement, la même tactique s'applique pour nos kilos en trop. Mais il arrive que ce ne soit justement pas le cas. La balance est parfois un révélateur puissant. Cet instrument peut nous ouvrir les yeux sur notre façon de composer avec la pression que les autres nous font subir. Celle-ci est peut-être même l'occasion rêvée de faire certains apprentissages.

Le début d'un plan alimentaire est un changement majeur, il n'est donc pas étonnant qu'il soit remarqué. Les commentaires fuseront de toutes parts, comme d'habitude. Vous aurez droit à la totale! Si vous êtes de ceux qui savent aborder ces mauvaises influences au quotidien, ces propos vous toucheront moins. Mais si, au contraire, vous vous sentez interpelé, il y a fort à parier qu'une réflexion sur les kilos entraînera une nouvelle façon de gérer les pressions externes. C'est inévitable puisque le succès à long terme de vos changements alimentaires en dépend.

«La pire chose à faire est de prendre ces commentaires pour un jugement personnel» que j'explique. Son conjoint manque d'information, tout comme ceux qui émettent des opinions stupéfiantes! «Si vous comprenez bien votre démarche, vous serez en mesure d'expliquer cette nouvelle façon de voir les choses.» En constatant les transformations qui s'opèrent dans ses habitudes alimentaires, le conjoint de Florence finira par comprendre. Dans le cas contraire, lorsque tous les arguments auront été épuisés, Florence devra assumer la situation.

Compter les calories dans son assiette peut sembler essentiel lorsque l'on envisage de perdre du poids. Mais il faudrait aussi penser à lever les yeux, juste pour voir qui exactement tient la fourchette! Si ce n'est pas vous, reprenez le contrôle… et vite!

QUATRIÈME PARTIE

MAINTENANT, CONTRÔLEZ VOTRE POIDS... ET VOTRE VIE!

Chapitre 29

Quoi choisir :
l'aide ou la béquille?

La dernière rencontre avec Daphnée était particulière. La jeune fille de onze ans a vu le chiffre magique de la balance augmenter de deux kilos pour les deux semaines précédentes. La vraie tragédie se trouve dans les émotions que la petite a vécues. Une copine lui propose une solution miracle à tous ses problèmes de poids. *Regarde-moi, je mange ce que je veux et je n'engraisse pas! Tu devrais faire comme moi!* Des propos que chacun de nous a probablement déjà entendus un jour ou l'autre, dans des contextes différents, certes, mais présentant la même tentation. Plus tôt elle apprendra à se tirer d'affaire, plus vite elle maîtrisera l'instrument. Voilà pourquoi, au final, cet épisode dans le quotidien de Daphnée est un cadeau. Que sont deux kilos supplémentaires s'ils nous permettent de jeter la lumière sur les effets néfastes de la pression extérieure?

«Un demi-kilo en moins, tu es vraiment déterminée!» Les dernières semaines ont été riches en émotions: d'abord l'Halloween, puis l'épisode des demi-portions au dîner et, finalement, l'influence des copines. Ces dix semaines ont été formatrices, mais ce n'est pas encore terminé!

— Je me sens mieux qu'avant. Parce que maintenant je commence à comprendre des choses. Je sais quoi faire... même si je ne suis pas toujours capable de le faire!

Sa facilité à prendre du recul est étonnante, et ce sera un atout majeur pour la suite de la démarche. La perte d'un demi-kilo n'a rien d'inquiétant, mais je me dois quand même de préciser que ce ne doit pas devenir son but. Il est préférable de bien établir les bases et de les répéter pour s'assurer qu'aucun doute ne s'installe.

— Les retours de l'école et les soirées vont très bien. Les portions, je les respecte de plus en plus. Même le midi à la cafétéria, j'en laisse dans mon assiette presque toujours. La fin de semaine, je prends des croustilles à l'occasion, je peux m'arrêter maintenant!

— Certaines choses ont changé depuis notre première rencontre!

Mais que peut-il y avoir d'autre à corriger? Daphnée semble bien gérer son alimentation. La preuve, son poids a même diminué cette semaine! Cette conclusion n'est valide que si l'on regarde le résultat sur la balance. Nous savons maintenant, pour l'avoir répété à maintes reprises, que ce serait une erreur. L'évaluation de la situation doit impérativement se faire de façon globale. Non seulement elle me montre qu'elle maîtrise bien les concepts du plan, mais son contrôle de la fourchette dans le quotidien est indéniable. Ce n'est pas parfait, bien sûr. La perfection n'a jamais été l'un de nos objectifs.

En fait, un seul point attire mon attention. Je sais pertinemment que Daphnée est consciente de ce défi. Pourquoi lèverait-elle le rideau sur sa pire crainte, le défi des défis qui l'attend? Même nous, en tant qu'adultes, préférons souvent nous mettre un voile devant les yeux pour éviter de voir certaines réalités qui nous font peur. Il est tellement plus rassurant de nier les problèmes.

«Où en es-tu avec les demi-portions de la cafétéria?» Pourquoi tracasser la petite avec ça? Tout semble bien se passer avec le reste... alors! Justement, le moment est venu d'attaquer de front le vrai défi de la jeune fille. Les demi-portions au dîner sont symboliques. En les adoptant, la jeune étudiante étale au grand jour sa confiance en elle. Ce nouveau comportement nous permettrait de mesurer où en est exactement son estime de soi.

En fait, chacun de nous a son défi «demi-portion». Cependant, il faut parfois faire l'effort de se sortir la tête du sable pour en prendre conscience! Souvent, comme dans le cas de Daphnée, nous avons tendance à nous attaquer aux tâches les plus faciles, pour ensuite nous complaire dans un sentiment de réussite. Tant que nous ne nous sommes pas heurtés aux vrais défis, la ligne d'arrivée n'est qu'un mirage! Pour Daphnée, choisir ces petites rations le midi, au vu et au su de ses amis, est une tâche colossale. L'illusion de facilité est troublante, elle cache tout le drame personnel de la confiance en soi. Dès que la petite parviendra à opter pour ces demi-portions, ce sera le signe ultime qu'elle entreprend le vrai défi de son plan alimentaire. Elle démontrera alors qu'elle a suffisamment confiance en elle pour résister à ces innombrables forces extérieures qui tenteront inlassablement de la ramener au tapis.

Si nous croyons avoir réussi à contrôler notre fourchette, il est grand temps d'ouvrir les yeux et de trouver notre défi «demi-portion». Alors, relevons nos manches et n'ayons pas peur de lever le rideau sur nos petits monstres cachés! Attaquons-les de front, la récompense sera immense!

— J'ai préparé des réponses pour ceux qui vont me questionner. Alors lundi, je commence la semaine avec une demi-portion, en plus, c'est de la lasagne!

— En montrant que tu as confiance en toi, les autres vont le ressentir. Ils vont poser des questions, et même faire des farces stupides, mais ton attitude déterminée va faire la différence. Après un certain temps, ce ne sera plus «l'événement du jour», et les dîners vont redevenir comme avant.

Lors de ces moments plus difficiles, Daphnée pourra-t-elle compter sur de l'aide? Quel sera le rôle de sa maman qui, jusqu'ici, est plutôt effacée? Devrait-elle affirmer davantage sa présence, elle est sa mère après tout? De l'aide est souvent disponible autour de nous. Dans les moments difficiles, ces gens sont les premiers vers qui nous nous tournons pour trouver un peu de réconfort. Cependant, il y a une fine ligne qui différencie un bon appui… d'une béquille! Pouvoir compter sur notre entourage pour un éventuel soutien est sain et réconfortant. Par contre, s'y réfugier constamment, à la moindre occasion, relève d'une certaine dépendance. Dans l'univers de la balance, cette différence est majeure, parce que, devant les tentations, nous sommes seuls avec la fourchette! Il faudra à tout prix développer l'indépendance, tout en sachant qu'un proche est toujours là en cas de besoin. Et la seule route vers cet éden, c'est la confiance en soi. Jetons la béquille par-dessus bord, elle sera inutile!

Chapitre 30

Punir le coupable...
c'est se regarder dans le miroir

———————◆———————

L'énergie qui se dégage de la conversation montre à quel point l'escapade des retraités a été bénéfique. «Il faut adapter les objectifs au contexte, c'est ce que vous disiez, n'est-ce pas?» souligne Michel avec humour.

— On dirait que vous vous êtes fait un ami de la balance, Michel! Rien n'a bougé depuis la dernière fois. Qui aurait pensé que vous seriez aussi heureux de ne pas maigrir!

— Maintenant, je réalise à quel point je passais à côté de l'essentiel. Il me reste beaucoup de travail à faire pour atteindre mon poids santé. On dirait que la montagne est moins haute.

La crainte de mourir à la suite de ses mauvaises habitudes alimentaires le hantait en permanence. Son quotidien en était grandement affecté. Malheureusement, cette situation se répète trop souvent lorsque nous adoptons une attitude trop rigide dans nos changements alimentaires. Notre logique nous dicte de couper sans merci ces petites gâteries, parce que nous les tenons responsables de nos déboires avec l'appareil. Mais, en fait, la réalité est beaucoup plus clémente! Toutes les idées préconçues que nous associons à notre surplus de poids deviennent ultimement un frein à notre réussite. Alors, il va sans dire que, si notre estime de soi est le moindrement influencée par la balance, nous ne pouvons certainement pas briller de tous nos feux! De là à penser qu'en perdant ce poids superflu notre propre image s'améliorera, il n'y a qu'un pas. Le drame est que plusieurs le franchissent. Croyant mettre en branle un processus qui leur permettra de se revaloriser, ils se fixent des objectifs où l'appareil est roi. Supprimons tous ces bourrelets et nous retrouverons enfin notre plein potentiel. Mais voilà, la fonte de notre banquise de graisse n'entraîne aucun changement climatique intérieur!

Nous devons apprendre à être bien dans notre peau avant même que le chiffre de la balance ne prenne la pente descendante. Prendre consciemment la décision de secouer notre quotidien pour nous remettre en question est à la portée de tous. Cependant, nous devons nous y investir à fond et nous attendre à rencontrer quelques obstacles sur notre chemin. En général, lorsque nous décidons de maigrir avec comme seul objectif un chiffre sur le cadran, la principale réflexion qui nous préoccupe concerne le nombre de calories contenues dans telle marque de yogourt plutôt que dans telle autre. Et les seuls changements personnels auxquels nous nous attendons se rapportent à la taille de nos vêtements! Mais il faut savoir qu'il est possible d'aller beaucoup plus loin. Prendre le risque d'apprendre à dissocier la balance de notre bonheur n'en vaut-il pas la peine?

— J'ai réalisé que, si j'avais les deux pieds dans le sable, c'est parce que j'ai changé mon fusil d'épaule. Juste à penser aux risques de prendre trop de calories, j'aurais balayé toutes les vacances de ma vie! C'est complètement fou, quand j'y pense!

— Vous vous étiez forgé une réalité pessimiste. Vous manquiez d'information. Votre cerveau a comblé les vides! Vous avez établi des liens boiteux entre vos risques de mourir et votre assiette. À partir du moment où nous écartons la culpabilité et la pression de notre assiette, le contrôle peut prendre sa place. Vous comprenez maintenant toute la logique du processus et vous voyez que l'important, c'est de savoir quand déposer la fourchette!

Certains diront qu'ils préfèrent couper complètement les gâteries parce que résister à la tentation est trop difficile. Mais après avoir tenté l'expérience et réussi à contrôler les quantités, ils réalisent qu'éliminer définitivement ces petits plaisirs était la pire des stratégies. La démarche consiste tout simplement à déterminer le nombre de fois que nous nous permettrons l'aliment en question dans la semaine en nous basant sur notre plan personnel. Et lorsque l'objet de notre désir est enfin devant nous, il suffit de nous satisfaire avec peu! Voilà pourquoi la répétition de chacune de ces situations nous amène graduellement vers la maîtrise de notre fourchette. Qu'il soit question de chocolat, de croustilles ou de vin rouge, le contrôle s'applique.

— Vous venez de démontrer, Michel, que vous comprenez ce que signifie le contrôle. Mais, plus encore, vous avez réussi à l'appliquer, et pas n'importe où... en vacances!

Il est primordial de bien comprendre d'où proviennent nos mauvaises habitudes. Il ne faut surtout pas sauter cette étape. En nous questionnant sur l'origine de nos comportements, des réponses étonnantes peuvent surgir. «En ce qui vous concerne, Michel, d'où croyez-vous que provient votre problème de poids? Souvent, il y a plusieurs facteurs. Mais pouvez-vous identifier une cause qui vous apparaît plus déterminante que les autres?» Sa réponse se fait attendre, et lorsqu'il la verbalise enfin, nous comprenons mieux son hésitation!

— En fait, j'y ai réfléchi. Et je crois que la source du problème vient du fait que Marie-Line aime cuisiner et que la nourriture incriminante était trop présente chez nous. C'est cette situation qui a fait que j'ai trop mangé et, surtout, mal mangé.

— Je m'attendais à cette réponse. Et je souhaitais que vous la disiez!

— Alors, nous allons travailler là-dessus, je suppose? demande-t-il très sérieusement.

— Oui, bien sûr. Mais pas de la façon dont vous le croyez. Comprenons-nous bien, Michel, vous êtes le seul responsable de votre poids sur l'appareil.

Je vois un mélange d'irritation et de confusion, confirmant que cet abcès se devait d'être enfin crevé. Le moment est venu de boucler la boucle. La crise de larmes de Marie-Line lors de la première rencontre était le symptôme, il est grand temps de traiter ce mal!

— Vous allez maintenant travailler à assumer pleinement vos responsabilités, Michel. C'est vous qui tenez la fourchette et personne d'autre n'en a le contrôle. Marie-Line peut cuisiner tout ce qu'elle désire, c'est son choix. Le vôtre est de décider ce que vous consommez… et de l'assumer!

Nous y sommes. Cette étape est cruciale. La poursuite du plan est impossible si nous n'admettons pas que le vrai coupable du résultat sur la balance, c'est nous. Et cela vaut autant pour les bons jours que pour les mauvais. L'autruche sort la tête du sable… enfin, du soleil à l'horizon!

Chapitre 31

Contrôle, contrôle, contrôle!

Fidèle à elle-même, Florence entre en coup de vent dans le bureau. Ce qui est bien avec la femme d'affaires, c'est qu'il suffit de quelques secondes pour être au fait de son état d'esprit! Ses paroles sont cinglantes.

— C'est incroyable, comment peut-on être aussi stupide? Dans quelle langue faut-il que je parle pour être enfin comprise? explose-t-elle avec exaspération.

— Mais de quoi parlez-vous exactement? Qu'est-ce qui vous met dans un tel état?

— Je parle de mon conjoint et de son entêtement à ne rien comprendre! J'en ai plus qu'assez de devoir me justifier sans arrêt!

Nous connaissons tous un jour ou l'autre des moments d'exaspération. Lorsque nous atteignons ce niveau, les probabilités sont fortes que l'irritant soit présent depuis une longue période. Le conjoint de la femme d'affaires montre depuis le début un manque flagrant de compréhension. À partir de ce moment, deux attitudes étaient possibles pour l'homme qui partage sa vie: il finit par comprendre après avoir obtenu les informations pertinentes ou il reste sur ses positions. «Nous avions déjà effleuré le sujet, Florence. Lui avez-vous expliqué les détails de votre démarche?»

Le fait de voir Florence arborer tous les soirs son verre de bordeaux secoue la pensée traditionnelle, nous pouvons en convenir sans problème! Des rajustements sont souvent nécessaires avec notre entourage, et c'est en expliquant le concept que nous arrivons à convaincre nos proches du bien-fondé de notre démarche. Ainsi, ils se rallient à nos objectifs et nous apportent un soutien inestimable.

— Vous m'aviez conseillé de lui expliquer. Et, croyez-moi, je l'ai fait à maintes reprises!

— De toute évidence, ou bien vos explications ne sont pas claires, ou bien il n'y croit tout simplement pas. D'après vous, est-ce qu'une de ces options est possible?

— Je ne pourrais même pas vous le dire, je n'en ai aucune idée!

Cette épineuse question, si elle n'est pas traitée, risque de dégénérer et de créer un climat de tension. Une difficulté supplémentaire n'est pas nécessaire, la femme d'affaires doit éviter de disperser son énergie. Déjà, nous sentons qu'elle perd graduellement sa concentration. Ne devrait-elle pas être en train de me parler du plan alimentaire en ce moment? Au lieu de cela, son esprit est complètement dominé par la frustration! Au moment où elle semblait s'aligner dans le droit chemin et maîtriser la fourchette... et son verre, Florence se retrouve submergée par la colère. Si nous négligeons de remédier à une situation problématique, les risques de dérapage augmentent dangereusement. La raison est simple: lorsque les émotions prennent le contrôle, la suite est imprévisible. «Florence, vous devez reprendre possession de vos moyens. Nous allons regarder cette situation avec calme. La frustration ne réglera absolument rien.» Autrement dit: *contrôle, contrôle, contrôle!*

Habituellement, nous tenons pour acquis qu'il s'agit de la fourchette. Cependant, l'expérience que vit Florence démontre à quel point la notion de contrôle doit être prise au sens large. Nos émotions doivent en faire l'objet. Ce que nous ressentons dicte en grande partie les gestes que nous accomplirons. Si nous désirons maigrir, il faudra apprendre à gérer les sentiments qui nous assaillent constamment! Sinon, comment est-il possible de parvenir à la moindre discipline? Les portions doivent être respectées, et pas seulement une fois sur deux! De la même façon, nous devons faire preuve d'une grande retenue quant à nos extras. Ils ne sont pas interdits, mais ne sont pas permis à volonté non plus. Trouver le juste équilibre représente déjà un défi, le maintenir est du grand art!

— Vous devez apprendre à maîtriser vos émotions avant tout. C'est une étape essentielle. Pour contrôler la fourchette, vous devez savoir gérer vos états d'âme!

— Je crois que j'ai trop attendu! Il faut que tout cela sorte, sinon ce ne serait pas bon.

— Il faut verbaliser cette frustration. Et vous venez de le faire! Maintenant, nous devons travailler à relativiser la situation. C'est-à-dire regarder les faits seulement, les émotions ne feront certainement pas partie de la solution. Nous allons procéder exactement de la même façon que dans toutes les autres situations de votre vie, ce n'est pas différent, Florence!

— Oui… je comprends mieux où vous voulez en venir!

— Nous allons discuter calmement de la situation. Vous allez m'expliquer en détail le contexte, le genre de propos que tient votre conjoint et son état d'esprit. Je veux connaître vos impressions, mais sans vous laisser emporter par les émotions.

Nous sommes avec la balance comme nous agissons dans la «vraie» vie, la stratégie que nous utiliserons dépendra de la vision que nous adoptons en général dans notre quotidien. Il est clair que certains balaieraient leur objectif de perte de poids. C'est le signe que le moment n'était pas encore venu pour cette personne de s'attaquer à ses démons intérieurs. Il ne faut pas oublier que la répétition de ces échecs constitue souvent l'étincelle qui, un jour, mettra le feu aux poudres de la motivation. Florence a beaucoup cheminé, c'est d'ailleurs la raison pour laquelle elle est devant moi. Malgré les émotions qui teintent le paysage, ses propos sont remplis de bon sens. «Il n'est pas question que j'abandonne mes objectifs, il devra comprendre, tout simplement», répète-t-elle avec assurance.

— Je vous propose donc de vous rencontrer ensemble. Ainsi, vous comprendrez tous les deux les principes de base. L'autre se sentant impliqué dans le processus, il est plus facile d'obtenir sa collaboration. Il devient un facilitateur au lieu de critiquer sans arrêt! Qu'en pensez-vous?

— Mais oui! Bien sûr! Pourquoi n'y ai-je pas pensé! Quelle bonne idée! s'exclame-t-elle, avec une étincelle dans les yeux.

Comment aurait-elle pu y penser? Avec autant d'émotions accumulées, le jugement n'est jamais à son mieux! Cette semaine, la balance a coopéré avec Florence. Mais ce qu'elle retiendra davantage est: *contrôle, contrôle, contrôle!* Cette leçon est la plus importante… le reste est un jeu d'enfant.

Chapitre 32

Sous les projecteurs, allègrement vont les commentaires!

Ce n'est un secret pour personne, notre environnement social reflète ce que nous sommes. En général, les gens qui en font partie ont été choisis pour leurs qualités personnelles. Ce qui fait en sorte que les personnes que nous côtoyons régulièrement sont celles que nous apprécions le plus. Mais pas toujours, malheureusement! En fait, si cela était possible, nous pourrions, bien sûr, nous rapprocher des individus les plus charmants, compréhensifs, pour ensuite balayer de notre espace vital ceux qui dégagent des idées négatives. Cette situation demeure un fantasme et la réalité fait en sorte que nous sommes dans l'obligation de socialiser avec tout un amalgame de personnalités.

Nous mettons l'accent sur ces commentaires qui nous dérangent. Ceux qui sont flatteurs n'attirent pas notre attention parce qu'ils ne représentent pas un problème. C'est d'ailleurs la raison pour laquelle il est important d'effleurer le sujet dans le cadre d'une perte de poids. Ce ne sont pas les félicitations qui nous causent une certaine anxiété, mais plutôt les remarques indélicates. Et, comme par hasard, il semble qu'elles surviennent habituellement au mauvais moment, c'est-à-dire lorsque la motivation est à la baisse.

Si nous sommes fortement influencés par les remarques des autres à notre endroit, celles sur le poids auront l'effet d'une bombe! Autant y être préparés! Étant donné que nous sommes avec la balance comme nous sommes dans la vie, un simple questionnement personnel nous permet de savoir à quelle enseigne nous logeons. Soit nous serons immunisés contre toute remarque désobligeante et ce chapitre est inutile. Soit chacune de ces indélicatesses deviendra un immense trou noir qui engloutira une somme considérable d'énergie. Alors là, il y a matière à amélioration!

— Vous rayonnez, Christopher! J'ai l'impression que ça va plutôt bien, n'est-ce pas?

— Ma mère est encore à l'hôpital et je n'ai toujours pas retrouvé ma routine, mais, oui, je trouve quand même que ça va bien.

— Je crois que cette sensation vient du fait que vous restez calme. Malgré tout ce qui bouge, vous gardez le contrôle!

— Je n'ai pas vu le résultat encore! Cela pourrait crever ma bulle, il faut que je me méfie! blague-t-il.

— Je n'ai pas l'intention de me répéter, vous savez très bien ce que j'ai le goût de vous dire. Vous commencez à connaître les règles de base maintenant.

— Je sais, je sais... l'objectif n'est pas le chiffre sur l'instrument. Vous voyez, j'ai bien appris. Même si, intérieurement, je souhaite de tout cœur qu'il coopère.

«Un autre kilo en moins pour les deux dernières semaines!» Le rythme de la perte de poids de l'avocat a de quoi rendre jaloux tous ceux qui s'acharnent depuis des semaines sans voir le moindre kilo disparaître! Depuis le début, son poids diminue graduellement, avec la régularité d'une horloge. Même s'il avait prévu le double, un demi-kilo par semaine fond, comme si tel était le contrat et qu'il fallait le respecter à la lettre. Dans la majorité des cas, une perte de poids aussi régulière n'existe que sur papier. Lorsque la réalité s'en empare, le parcours a tendance à ressembler davantage à une route sinueuse qu'à une ligne droite. En outre, cette inégalité dans les résultats sur l'appareil fait partie des apprentissages. Nous devons apprendre à composer avec les déceptions et les surprises. La motivation ne doit aucunement être entachée par l'instrument.

— Puisque mon poids diminue ainsi, est-ce que cela signifie que j'ai appris tout ce que je devais savoir et que je dois maintenant voler de mes propres ailes?

— Qu'en pensez-vous? Vous sentez-vous prêt à poursuivre seul le processus? Si vous êtes disposé à le faire, il n'y a pas de problème. C'est votre décision et vous seul connaissez la réponse à la question. Cette rencontre pourrait être la dernière.

— Comment suis-je censé savoir si je suis prêt?

L'homme que j'ai devant moi en ce moment ne correspond pas du tout à celui que j'ai rencontré la première fois dans ce bureau il y a quelques mois. À ce moment, il dégageait de la confiance en lui, son attitude était des plus positives. Il avait un objectif en tête, celui de perdre du poids. Son échéancier était précisément établi, le rythme de la progression devait suivre la même ligne droite que tout le reste dans sa vie. Maigrir ne représentait qu'un dossier supplémentaire à gérer, alors autant le faire avec efficacité et sans perdre de temps.

Aujourd'hui, le célibataire de trente-quatre ans jouit d'une carrière florissante et prometteuse. «Je n'ai pas le choix, me dit-il, je dois dégager le maximum d'aplomb pour exercer mon influence, c'est ma façon de gravir les échelons.» Ceux qui l'observent doivent à tout prix sentir la conviction qui l'habite. Christopher travaille d'arrache-pied à bâtir cette image de l'inébranlable avocat, l'indestructible homme de loi.

Ce sont les traits de personnalité qui ressortent chez Christopher. Du moins, vu sous l'angle des kilos. Alors, comment se fait-il qu'un individu démontrant autant d'assurance dans sa vie de tous les jours ne sache pas encore s'il est prêt à prendre la route seul? Qu'a de particulier notre instrument pour faire douter de lui un homme respirant la confiance? Ses pertes de poids régulières font en sorte que Christopher approche du moment où il aura atteint le poids désiré. L'étape suivante est le maintien. Ce moment est celui où nous devons avoir réussi à assimiler la majorité des notions nécessaires au contrôle. Oui, ce fameux contrôle! À cette étape, il devrait être maîtrisé. Peut-être pas à la perfection, mais suffisamment pour faire en sorte que le poids ne reprenne pas une fâcheuse tendance à la hausse.

Ce moment est aussi celui où nous pouvons vivre une certaine anxiété. Après avoir été guidés pendant des semaines sur les bonnes méthodes d'utilisation de la fourchette, nous nous voyons soudainement sur le point de devoir la maîtriser seuls! Les doutes peuvent s'installer et les craintes de revoir les kilos d'avant réapparaître sournoisement peuvent devenir une hantise. Cependant, comme l'un des buts du processus de perte de poids est de nous amener à une autonomie totale, il faudra un jour ou l'autre prendre le taureau par les cornes et affronter la balance en solitaire. La démarche vise à développer de nouveaux comportements, et la confiance en soi fait partie des aptitudes à acquérir. Sinon, comment réussir à se contrôler devant les gâteries qui nous font fléchir les genoux! Sans cette confiance, c'est perdu d'avance!

Mais notre ami Christopher est différent. Son tempérament perfectionniste fait de lui un avocat à qui je confierais un dossier litigieux sans aucune hésitation! Je suis convaincue qu'il est un professionnel aguerri et d'une grande compétence. Il ne lui reste qu'à franchir une étape, celle de reproduire cette assurance dans l'univers de la balance.

— Quelles sont vos impressions, Christopher, de tout ce processus que vous suivez depuis des semaines maintenant?

— C'est difficile à cerner, mais on dirait que je me heurte constamment à un mur! Chaque fois que je crois faire la bonne chose, eh bien, non, ce n'était pas ce qu'il fallait faire! Je n'ai plus confiance en mon jugement quand il s'agit de mon poids

— C'est juste que vous n'avez pas l'habitude! Vous vous y ferez! La démarche vise justement à vous faire comprendre la façon de gérer votre poids. Oubliez les comparaisons avec votre domaine professionnel, nous parlons d'autre chose. Et la grande différence, ce sont les émotions qui viennent brouiller les cartes.

Vos craintes des réactions des autres posent une difficulté supplémentaire, Christopher. Ça complique un peu le portrait, mais vous y verrez plus clair bientôt.

— Oui, peut-être… Mais moi, je gère très bien mes émotions! Ce n'est certainement pas un problème. Je suppose qu'il est normal que j'hésite à délaisser l'aide professionnelle parce que le poids n'est pas mon domaine d'expertise, ce serait logique, non? suggère-t-il, préférant ignorer ma remarque sur l'impact de ce que les autres vont penser de lui s'il ne répond pas à ses objectifs en matière de poids.

— Vous êtes un brillant avocat, et d'après ce que vous m'expliquez, vous investissez énormément d'énergie à forger votre image. Et c'est justement ici qu'entrent en jeu les émotions, Christopher.

Nous connaissons la version classique du monde émotif: la tristesse ou l'ennui nous donnent le goût de dévorer gras et sucre sans retenue! Mais, plus encore, les émotions peuvent prendre différents visages et nous influencer à notre insu. Le perfectionnisme de Christopher le place dans une position à risque. Parce que son objectif est de performer avec la balance comme dans le reste de sa vie, des tensions sont créées bien malgré lui. Comme l'univers des kilos dispose de sa propre logique, il est impossible de traiter notre poids comme un dossier habituel. Inutile de croire que plus nous y investissons d'heures, plus les résultats seront concluants! Au contraire, l'instrument peut nous accaparer pendant des années sans jamais voir l'ombre de la réussite!

Ce n'est pas qu'une question d'image. «En admettant vous-même que vous pouvez vous tromper, vous démontrez la plus grande des sagesses, Christopher! Notre poids peut devenir l'élément le plus difficile à gérer dans notre vie ou, au contraire, l'occasion de développer une nouvelle attitude!» Il reste à savoir si nous n'accordons pas trop d'importance à notre image… Bonne question!

Chapitre 33

Est-ce la lumière au bout du tunnel... ou le train qui va frapper?

——————————◉——————————

Le tempérament de Maude est étonnant. Sous l'extravagance de hauts et de bas émotifs vertigineux se cache un trésor de persévérance. Depuis des semaines, nous nous acharnons à trouver son point d'équilibre avec la balance, sans obtenir le moindre résultat en matière de perte de poids. L'adjointe administrative apprend à la dure l'importance de ne pas focaliser sur le chiffre! Son ouverture d'esprit est sa grande force. La jeune femme de vingt-huit ans est comme une éponge et cherche à absorber toutes les informations qui pourraient lui permettre éventuellement de voir plus clair dans sa lutte aux petits bourrelets. Ses expériences passées avec les régimes sévères l'ont fermement convaincue que le succès n'était pas de ce côté. «Mieux vaut regarder ailleurs si je veux régler mon problème définitivement», me confie-t-elle. Cette cinquième rencontre, cependant, prend une tournure plutôt étonnante. Contre toute attente, notre instrument affiche en gros caractères une perte de poids de deux kilos pour les deux dernières semaines! Tout un revirement de situation.

— J'en étais venue à penser que le destin s'acharnait sur moi, et que je resterais collée avec ces bourrelets jusqu'à la fin de mes jours! jubile-t-elle.

— J'ai plutôt le goût de vous donner tout le crédit de cette réussite, Maude! J'aimerais que vous m'expliquiez ce que vous avez fait de différent.

— Presque parfait! Les portions, je les respecte à peu près toujours, et les extras, je me contrôle de mieux en mieux! commence-t-elle, en essayant de comprendre elle-même où se situe la clé de l'énigme.

— Comment se passent les lundis soir?

— Elles sont toujours là... les réunions... et les croustilles! répond-elle d'un air taquin, démontrant qu'en effet, il semble qu'un grand pas ait été franchi ces deux dernières semaines.

— Est-ce que je me trompe où vous réussissez maintenant à fermer le sac avant de le vider? Ce serait une grande amélioration!

— Je n'arrive même pas à y croire... jamais je n'aurais cru que ce serait possible un jour. C'est idiot, je m'en rends compte, mais c'était impossible pour moi de lâcher ce gros sac. Tant qu'il en restait, je m'y accrochais comme une droguée!

— Vous devez garder en mémoire ces moments difficiles, Maude. Ils vous prouvent que vous pouvez réussir, peu importe l'ampleur de la tâche! Ce sont ces pensées que vous devez ressortir lorsque la motivation n'est plus au rendez-vous, et pas seulement avec les kilos! Ce que vous réussissez à accomplir avec votre poids vous servira dans toutes les sphères de votre vie.

Nos réussites personnelles ne sont pas classées par catégories. Aucune barrière ne sépare les kilos de nos autres défis personnels. Les aptitudes que nous avons acquises tout au long de notre vie, lors de nos épreuves, seront indispensables pour gérer notre poids. Et, à l'inverse, les nouvelles forces que nous développons pendant une démarche pour maigrir nous seront utiles à bien des égards. Quelles sont donc ces fameuses forces dont il est question ici? De quoi parle-t-on au juste? Quelles nouvelles capacités la balance peut-elle nous faire découvrir, pour ensuite les utiliser dans notre quotidien?

Lorsque ces deux traits de caractère nous habitent, les problèmes de poids ne sont plus la montagne infranchissable qu'ils étaient. Peu importe de quelle manière ils font leur entrée dans notre réalité, ils sont une richesse inestimable. Pour certains, ils sont innés, et ces gens auront beaucoup de difficulté à comprendre les défis qui se dressent devant ceux qui ne possèdent pas encore ces qualités. Et pour les autres, les expériences personnelles mettront tout en place afin d'aller puiser ces ressources à l'intérieur de soi. Ces deux caractéristiques sont nos alliés les plus précieux : le contrôle de nos émotions et la confiance en soi.

C'est précisément en cette matière que Maude peine à trouver sa route. Mais se pourrait-il qu'elle commence enfin à voir la lumière au bout du tunnel ? Depuis le début du processus de perte de poids, la jeune adjointe administrative semble subir les événements. Le moindre coup de vent l'entraîne dans une direction opposée à ses objectifs. Son désir de plaire au travail lui impose une pression phénoménale, au point où seul un gigantesque sac de croustilles peut la soulager. Les attentes qu'elle a créées de toutes pièces quant à une vie familiale dans un futur rapproché s'ajoutent.

Ce contexte l'a rendue fragile. Elle est à l'écoute de tout indice qui pourrait la guider vers un corps parfait. L'outil ultime pouvant la mener directement à la conquête de l'amour. Dès la première rencontre, Maude avait avoué avec sincérité la raison pour laquelle elle désirait tant perdre du poids, et c'était pour rencontrer l'homme de sa vie. Cette facette de sa vie était pour le moins mouvementée ! Les compagnons se succédaient sans jamais s'arrêter très longtemps ! Bien entendu, nous pouvons comprendre ces messieurs de ressentir un frisson de frayeur lorsque, dès la seconde rencontre, Maude leur faisait part de ses projets familiaux à courte échéance ! « Autant les mettre au courant de mes objectifs le plus tôt possible, alors s'ils ne sont pas intéressés, je ne perdrai pas mon temps ! » se justifiait-elle.

— Eh bien, en fait, oui... il y a du nouveau ! commence l'adjointe administrative, affichant toujours ce sourire éclatant.

— On dirait que l'amour est dans le paysage, ma chère Maude!

— Celui dont je vous avais parlé la dernière fois... eh bien, ça continue! Je crois qu'il pourrait être la bonne personne! confie-t-elle, me laissant soudainement perplexe quant à la suite des choses.

— Félicitations, Maude! Donc, vous croyez que le résultat sur la balance est directement relié à ce monsieur? Est-ce que je me trompe?

— Encore une fois, vous visez dans le mille! On voit que vous vous y connaissez! Vous pouvez presque lire dans mes pensées, c'est incroyable!

— Je sais, je crois que j'ai un don pour voir ces choses-là! que je lui réponds en plaisantant.

Mais au fond, il n'y a vraiment pas de quoi rire. Au contraire, cette situation est ambiguë et elle mérite d'être examinée davantage. Ce n'est pas que je veuille m'immiscer dans la vie personnelle de Maude, mais si cet homme est le seul responsable de sa motivation... elle est dans de beaux draps! Bien sûr, nous savons tous que l'amour peut nous amener à des sommets vertigineux! Il peut aussi nous faire plonger sans merci! C'est ici que le contrôle des émotions prend toute son importance. Et lorsque le déroulement de notre quotidien ne repose que sur le sentiment d'être aimé, nous sommes en présence de bases vraiment instables. Mais peut-être suis-je alarmiste. Qui me dit que la jeune femme n'est pas totalement en possession de ses moyens? Que son attitude euphorique n'est que l'expression de son bonheur nouveau? Ne le sommes-nous pas tous, lorsque l'amour fait son entrée dans notre vie? Certains indices révèleront si la balance ne dépend que de cet homme. Ils sont malheureusement très difficiles à déceler, mais si le couple éclate, alors là, nous serons rapidement fixés!

— Lors de vos relations passées, vous me disiez que vous aviez beaucoup de difficulté à vous contrôler avec les gâteries lorsque votre copain n'était pas avec vous. Est-ce la même chose maintenant, ou voyez-vous une différence?

— Oui, je crois que c'est différent. Il travaille beaucoup, donc nous ne pouvons pas nous voir aussi souvent que je le voudrais.

— Est-il avec vous les lundis soir? Expliquez-moi comment vous réussissez maintenant à diminuer vos quantités de croustilles.

— Il y a une autre nouveauté, quand j'y pense! Depuis notre dernière rencontre, j'ai commencé à faire une marche après le souper. Ah! rien de bien long, parfois c'est juste dix minutes! Mais le lundi soir, comme nous avions dit que c'était critique, j'en profite pour allonger la promenade. Et savez-vous quoi? Ça me fait vraiment du bien! En plus, on dirait que je suis plus calme, et c'est plus facile de réfléchir. Je ne sais pas s'il y a un lien, mais les croustilles ont beaucoup diminué!

C'est difficile d'établir une relation directe entre la marche et les croustilles. En fait, il est plus probable que toute la machine soit maintenant lancée dans la bonne direction. La démarche de perte de poids dure depuis des semaines sans que l'appareil bouge. Malgré tout, Maude tient le coup. Ce processus n'est certainement pas étranger à l'évolution du contrôle de la jeune adjointe. Son état d'esprit a manifestement changé, sinon elle aurait déjà tout jeté par-dessus bord! Même dans ses propos, elle démontre une nouvelle attitude. «Avec les gens autour de moi, je crois que je m'affirme davantage. Je suis certaine qu'ils ne s'en aperçoivent pas, c'est dans ma tête que les choses sont différentes», explique-t-elle, cherchant une façon logique de justifier ce changement.

En réalité, la confiance en soi fait en sorte que nous voyons maintenant la possibilité de dire «non». Si nous acceptons, ce sera avec plaisir. Pas par volonté de plaire aux autres à tout prix. «C'est fou ce que je peux me sentir libre! J'apprécie davantage mes collègues et mon patron. Mon poids, je sais que je vais y arriver, je le sens!» Ce changement de cap est majeur. Jusqu'à maintenant, la plus grande réalisation de Maude ne se lit pas en kilos perdus, mais en estime de soi retrouvée. Du moins, il est permis d'y croire. Les discussions que nous avons ensemble à ce sujet sont sereines et positives. Maude comprend mieux la dynamique qui relie son état d'esprit à la balance. «Vous êtes sur la bonne voie! Rien n'est encore gagné, mais le pire est fait!»

Oui, c'est vrai! L'avenir s'annonce plutôt bien pour l'adjointe administrative. Non seulement notre instrument vient d'effacer deux kilos au tableau, mais une nouvelle attitude s'empare graduellement de Maude. Rien n'a changé dans son entourage, pourtant elle semble retrouver une véritable joie de vivre. Les gens sont les mêmes au travail, et les commentaires aussi! *Comment se passe ton régime? Combien as-tu perdu cette semaine? C'est vraiment long... quand penses-tu atteindre ton poids idéal?* Maude me confirme qu'elle a maintenant une réponse toute prête: «Vous verrez, vous verrez... mais je n'ai jamais été aussi bien dans ma peau!» Y a-t-il musique plus douce à entendre? Je ne le crois pas!

Bien entendu, nous devons garder en tête que cet état d'esprit peut être passager et qu'il est dû uniquement à la présence de l'amour dans la vie de Maude. C'est possible, très possible même. Nous vivons tous des situations de ce genre, où parfois, le soleil semble briller partout. Et nous avons le même réflexe. Est-ce la lumière au bout du tunnel... ou le train qui va frapper? En fait, il n'en tient qu'à nous de regarder dans la bonne direction.

Chapitre 34

La route sinueuse
des échecs

————————⬤————————

Lorsque la machine se met en marche et que les kilos disparaissent graduellement, le pire qui puisse arriver est d'être persuadé que la réussite est acquise. *C'est facile! Et, en plus, je n'ai pas à me priver à l'extrême! Tout va comme sur des roulettes!* Cette façon de voir les choses est suffisante pour jeter dans l'engrenage le grain de sable fatal! Tout n'est pas gagné, loin de là. La vigilance est de rigueur, car derrière chaque détour se cache un piège potentiellement dangereux.

— Mais quels sont les risques? Je ne vois pas comment je pourrais soudainement tout rater! Mon rythme est tellement régulier, ça va presque tout seul! me demande Christopher, croyant que je fais un peu d'humour.

— Non, non, je suis très sérieuse. Quand tout va bien, c'est le moment où nous baissons la garde, malheureusement. Croyant que nous avons enfin compris le principe du contrôle, nous sommes convaincus que l'appliquer un jour, c'est l'appliquer toujours. Comme par enchantement! Dans votre situation, Christopher, les risques sont surtout présents lors de vos repas au restaurant. En étant convaincu que vous devez vider votre assiette pour en avoir pour votre argent, vous vous exposez à dépasser vos portions. Comprenez-vous où je veux en venir?

— Oui, tout à fait. Je devrai changer cette conception, et ça ne se fera certainement pas du jour au lendemain, répond le jeune avocat, conscient du défi qui l'attend.

— Ces deux dernières semaines, vous vous en êtes très bien sorti, Christopher! Voyez-vous, c'est en étant confronté au restaurant que vous apprendrez à le maîtriser. Éviter d'y aller serait la pire chose à faire, ça ne ferait que reporter l'apprentissage.

Et le jour où il croira avoir enfin maîtrisé ce piège, ce sera le signe qu'il faut redoubler d'ardeur! Nos habitudes alimentaires sont ancrées profondément en nous. Souvent, elles sont issues de notre enfance et elles sont incluses dans le grand bagage de nos valeurs familiales. Des époques différentes imposent parfois de revoir certaines habitudes, et notre assiette mérite toute notre attention. Chacun de nous doit relever ses propres défis, mais nous devons d'abord les identifier précisément.

Christopher connaît ses faiblesses, nous en discutons abondamment. Son type de personnalité inspire confiance quant aux dernières étapes de son plan alimentaire. Sa détermination est son meilleur allié. L'avocat n'a besoin que d'un petit coup de pouce, car certains concepts lui échappent. Sa vision de la balance se limitait au chiffre affiché. Il réalise maintenant que l'univers de ses kilos en trop n'est pas une petite case insignifiante annexée au dossier de son quotidien. Loin de là, son poids s'affiche à la page principale, et il doit lui accorder la même importance que son budget, celui qui lui est si cher! Et sur la même ligne que ses ambitions professionnelles, car toutes ces facettes sont reliées. Le comportement qu'il adoptera avec l'instrument est celui qui prévaut avec tout le reste, il ne pourrait être différent.

Ce qui nous amène à l'essentiel du défi de Christopher. Le regard des autres est important, mais il doit retrouver une place juste, qui ne nuira pas à l'atteinte de ses objectifs de poids. Mais plus encore, des changements se produiront dans le futur. Par exemple, une éventuelle vie de couple pourrait devenir une autre occasion de mettre en pratique ses nouvelles compétences avec la balance! S'il comprend bien le processus, il fera les ajustements nécessaires et le poids n'en souffrira aucunement! Que de défis à l'horizon! Voilà pourquoi il est primordial d'y être bien préparé.

***

Pour le courtier, les préoccupations sont d'un autre ordre. «Vous pouvez être fier de vous, Michel, passer le test des vacances est révélateur!» Le retraité voit les kilos fondre depuis le début, il pourrait croire lui aussi que la machine va rouler toute seule! Des mises en garde sont essentielles. Cependant, elles devront être vues sous un angle différent de l'avocat. L'anxiété qui le guette face à la mort semble maîtrisée de prime abord. Le manque d'information était le grand coupable, mais l'esprit humain a le don de s'accrocher à des pensées négatives! «À partir du moment où vous vous attaquez à votre alimentation, vous faites exactement ce qu'il faut. Vous pouvez dormir tranquille», que je lui rappelle en insistant sur le fait qu'il ne peut vivre en pensant constamment à une épée suspendue au-dessus de sa tête.

Bien entendu, rien ne peut garantir la vie éternelle! Par contre, le fait de s'attaquer concrètement à ses kilos en trop permet au courtier retraité de profiter pleinement de belles années de retraite bien méritées. En étant conscient qu'il pose les bonnes actions pour améliorer son état de santé, son niveau de tension devrait s'atténuer. Il le faut, puisqu'il doit s'assurer de conserver l'équilibre de sa vie de couple. Ce défi s'ajoute ou, plutôt, fait partie intégrante de la démarche. D'ailleurs, Marie-Line est disposée à soutenir son mari face aux défis qui l'attendent.

Le concept de base, faut-il se le rappeler, reste toujours le même. Au début du processus de perte de poids, comme à la fin, la balance n'est qu'un instrument. Il devra en être ainsi en permanence. Si notre poids devient le centre de notre vie, il est grand temps de remettre de l'ordre dans nos priorités! Depuis le début, nous mettons l'accent sur notre qualité de vie. Pour perdre du poids, nous devons modifier certaines de nos habitudes alimentaires, bien entendu. Mais jamais au détriment de nos petits plaisirs personnels, ceux qui font en sorte que notre quotidien n'est pas qu'une suite interminable de jours de travail. Lorsque nous pouvons identifier précisément ces douceurs qui nous font du bien, il ne reste qu'à déterminer le bon dosage!

**

«La recette est simple, tout le défi réside dans l'application concrète de ces sages conseils!» plaisante Florence lorsque nous discutons des étapes qui suivront. Son poids diminue, nous avons trouvé un équilibre intéressant entre la balance et le verre de vin, si cher à la femme d'affaires. Le contrôle semble prendre une place de plus en plus grande dans son assiette. D'ailleurs, les portions sont respectées de façon presque automatique maintenant. Dans l'esprit de la femme de quarante-deux ans, tout indique que la partie est gagnée. «Je n'ai qu'à poursuivre ce plan, le problème est réglé, il n'y a pas lieu de s'inquiéter de la suite» poursuit-elle, m'incitant à lui expliquer l'importance de connaître ses faiblesses.

— Les risques de reprendre du poids ne sont pas seulement dans votre assiette, Florence! Vous devez être en mesure d'identifier tout ce qui peut vous influencer, vous comprenez mieux la démarche maintenant. Essayez de voir au-delà de votre verre de vin! Et identifiez ce qui vous agresse, ce qui pourrait mettre en péril vos kilos perdus.

— Pour l'instant, mon conjoint fait partie de cette catégorie! Comment dites-vous… *irritant!* continue-t-elle en souriant, confirmant qu'elle est bien consciente de la situation et qu'elle est disposée à agir.

Agir, oui! Mais pour faire quoi? Ses défis sont très subtils. Mais surtout, ils semblent bien loin de la balance. C'est en fait ce qui rend la tâche particulièrement délicate. Il faut être réaliste et admettre que l'attitude de son conjoint pourrait devenir problématique éventuellement. En traquant la fourchette de sa bien-aimée sans arrêt, il peut devenir un irritant majeur. Florence gère particulièrement bien ce genre de situation dans son environnement professionnel. Mais il semble que, lorsque le domaine des émotions vient brouiller les cartes, son attitude change dramatiquement. À cet égard, plusieurs personnes ont beaucoup en commun avec Florence!

Parce qu'il est son conjoint, celui-ci semble bénéficier d'une largesse particulière. Sachant maintenant que personne ne devrait supporter de commentaires incessants sur sa fourchette, elle utilisera sa forte personnalité pour donner l'heure juste à son conjoint! En comprenant de mieux en mieux sa démarche, Florence pourra ainsi informer l'homme de sa vie. Son appui sera fort apprécié lors des périodes plus exigeantes... car il y en aura! En développant suffisamment la confiance en soi, toutes les allusions des autres deviennent arbitraires. Savoir différencier les paroles formatrices des paroles destructrices est un avantage. Au sujet de nos kilos, bien entendu, mais aussi dans notre quotidien en général.

***

À première vue, ces situations ne semblent pas avoir de lien direct avec la balance. Elles sont tout simplement des facettes différentes de notre quotidien, avec lesquelles nous devons composer, de toute façon. Alors, pourquoi en parler lorsqu'il est question de perte de poids; ne devrions-nous pas nous attarder davantage aux calories? La réponse est simple : parce que tout le monde sait qu'un surplus de calories fait engraisser, ce n'est une surprise pour personne! La majorité des gens qui veut perdre du poids sait très bien que le deuxième beignet était de trop, ou que les quelques bières supplémentaires ne feront pas de bien au tour de taille. Une quantité phénoménale d'information circule sur le contenu en calories des aliments. Le sujet est particulièrement bien couvert!

Cette vision de la perte de poids, axée sur le contenu calorique, est amplement développée dans les médias, sans oublier les concepts transmis entre nous. Et c'est très bien ainsi. Connaître la valeur énergétique des carottes et du brocoli est intéressant, et peut même être très formateur. Mais il reste que, si cette information fait en sorte que nous priorisons celui des deux légumes qui est le moins calorique, des aberrations peuvent survenir. Par exemple, bannir graduellement l'autre légume et nous priver ainsi de vitamines différentes, juste pour éviter quelques calories. Paradoxalement, nous pouvons nous demander où sont ces calculs savants lorsqu'il est question du dessert dont nous avons tellement envie!

S'attaquer à un problème de poids peut être vu de façons complètement différentes pour chacun de nous. Toutes les options sont représentées, et dans toutes les nuances. Les versions jovialistes, comme les fatalistes. Le déni total, comme l'obsession pure et simple. Notre personnalité est le grand déterminant. Pourquoi certains n'y verront-ils qu'une petite période de privation, alors que d'autres seront totalement aveuglés par une énorme montagne à gravir? La manière dont nous voyons le défi de la balance reflète bien souvent notre vision de la vie en général. Chacun de nous a ses propres lunettes, et le paysage que nous y voyons est bien personnel. Nous interprétons la réalité avec le filtre de notre bagage de vie! Il n'en tient qu'à nous de faire en sorte que la route vers notre poids ne soit pas jonchée d'échecs.

Chapitre 35

La réussite...
satisfaction ultime!

———◈———

La dernière rencontre s'avère le moment de faire le point sur tous ces mois d'effort. Chacun a vécu cette période d'une manière différente. Mais un fait est indéniable, bien des choses ont changé depuis le début. Des personnalités qui ne se ressemblent pas du tout imposent des stratégies complètement différentes. En fait, peut-être pas si différentes. Le seul mode d'emploi qui risque de venir à bout de ces kilos en trop a les mêmes bases pour tout le monde. Il suffit de prendre conscience des forces qui influencent notre fourchette! Et pour cela, nous devons absolument lever les yeux... et regarder ailleurs que dans notre assiette!

Il y a presque de quoi en devenir dingue! La recherche de la réponse peut prendre des proportions phénoménales. Lorsque nous en avons par-dessus la tête de nos bourrelets, les solutions que nous retiendrons peuvent être radicales. Nous l'avons vu, d'ailleurs, sous plusieurs angles. Chacun avait en tête sa propre technique pour éradiquer la bête!

Michel veut s'assurer d'une retraite où la maladie ne viendra pas contrecarrer ses plans. Son désir n'a rien de compliqué et il est parfaitement légitime. Il veut profiter des petits plaisirs de la vie, tout simplement. «Alors, quoi de plus logique que de balayer du revers de la main ces mêmes plaisirs!» que je lui rappelle en blaguant. «C'est incroyable! C'est vraiment ce que je voulais faire! Je ne pouvais pas être plus loin de la solution!» répond-il, prenant soudainement conscience du chemin parcouru depuis ce jour où Marie-Line a éclaté en sanglots. Je lui rappelle qu'il a maintenant tous les outils pour maintenir son poids. «Votre plan de base vous donne vos quantités et vos portions. Il deviendra votre meilleur ami pour les prochaines années! Ensuite, le contrôle continuera d'être la clé pour gérer vos extras, comme vous le faites maintenant!»

Le couple est radieux, ces gens ont pleinement confiance en l'avenir. Ils pourront dorénavant envisager une retraite digne de leurs aspirations. Le poids de Michel ne fera plus ombrage à tous ses projets. Je parie que Marie-Line cuisinera à l'occasion ce fameux dessert... et que son gentil mari en profitera pour y planter sa fourchette. Y a-t-il meilleure façon de peaufiner son contrôle?

***

L'avocat, quant à lui, se dirige tout droit vers une carrière brillante. Lorsqu'il a consulté, son surplus de poids n'était qu'un détail. Le moment était venu de régler la question. Sa stratégie était de suivre le plan d'une professionnelle, disait-il, et tout rentrerait dans l'ordre. Cependant, la réalité avait un cheminement différent pour Christopher. Au lieu de n'être qu'une formalité, le parcours du jeune homme s'est transformé, le confrontant à lui-même. Peut-être a-t-il découvert une nouvelle facette de sa personnalité... cela s'est déjà vu! Quoi qu'il en soit, le jeune homme maîtrise très bien les sorties au restaurant. Il démontre une fierté peu commune à laisser quelques bouchées! N'est-ce pas la démonstration d'une grande évolution dans son assiette… et dans son mode de pensée? «Je vous souhaite tout le succès que vous méritez, Christopher! J'ai vu de quoi vous étiez capable... il n'y a aucun obstacle qui résistera sur votre route!» Il sourit et hoche la tête en répondant que cette aventure lui a appris certaines choses. «La récompense n'est pas qu'un chiffre sur la balance...», souligne-t-il. Pour une rare fois, je n'ai rien à ajouter. Parfois, les mots sont superflus...

*** *** ***

Florence me fait un plaisir immense pour cette dernière rencontre. Comme je lui avais suggéré, son conjoint l'accompagne. Malgré un sourire éclatant, elle semble nostalgique. «Qu'y a-t-il?» que je lui demande, peut-être n'est-elle pas vraiment prête à prendre les cordeaux. «Je ne sais pas, je crois que je commençais à prendre goût à ces rencontres!» Je lui explique que c'est le signe qu'elle doit maintenant être autonome. Nous faisons le point tous les trois, et je détaille la nouvelle façon de voir les choses de Florence.

— Le contrôle est la clé du succès à long terme. Il permet de préserver la qualité de vie et d'éviter la frustration qui viendrait tout anéantir. Je sais que ce n'est pas un concept facile à assimiler, mais ça fonctionne, que j'explique à l'endroit de son conjoint.

— Je suis tout à fait d'accord, c'est logique! Il a fallu que je réajuste ma conception d'un régime! Florence est heureuse, je le sens, et c'est ce qui importe! explique-t-il, le regard plein de tendresse envers sa conjointe.

Voilà la réponse à ma question! Les informations circulent et la situation est clarifiée! Il n'y a rien comme une bonne communication pour garder un couple bien lié! Même avec les deux pieds sur la balance! Florence me rappelle à quel point elle était anxieuse au tout début. Croyant que j'allais sabrer complètement le bon bordeaux, elle était convaincue que son univers allait s'effondrer. «Croyez-moi, Florence, votre attitude montrait clairement que vous n'étiez pas prête à vous lancer tête baissée dans l'aventure!» Elle se demande d'ailleurs pourquoi elle a mis tant de temps à se rallier au programme. «Si c'était à refaire, je m'y mettrais tellement plus vite!» ajoute-t-elle. C'est normal, bien des concepts ont été compris depuis le premier jour.

Florence voit ces semaines comme du temps perdu, des étapes qu'elle aurait pu franchir plus rapidement si elle s'était donné la peine de comprendre. Pourquoi avoir essayé de couper drastiquement dans ses quantités, alors que je lui avais expliqué que cela retarderait le processus et lui nuirait? Et le verre de vin... il aurait été si simple de s'y mettre dès le départ! Avec notre regard d'aujourd'hui, les obstacles sur la route parcourue nous semblent moins gigantesques. Vues de loin, ces montagnes ont repris des proportions normales. Elles ne sont plus que de petits monticules. Comment se fait-il qu'elles nous soient apparues presque infranchissables lorsque nous étions à leur pied? Pourquoi alors n'avions-nous pas une vision objective de la situation? Tout aurait été tellement plus simple!

Bien sûr, si nous avions su ce que nous savons aujourd'hui... Mais voilà, c'est en traversant toutes les gorges de la montagne et en tentant d'atteindre son sommet que nous trouvons les réponses à nos questions. C'est une route difficile, parce que, au départ, l'incertitude nous ronge. La crainte de perdre nos petits plaisirs est intense et réelle. Apprivoiser cette nouvelle réalité n'est pas chose facile. Toutes ces étapes que nous devons franchir constituent le processus de perte de poids. C'est une route exigeante, elle demande d'aller puiser dans nos ressources personnelles. Elle exige l'humilité. Parce que les échecs sont fréquents. Mais en nous relevant et en continuant, nous apprenons beaucoup sur nous-mêmes. La femme d'affaires a de quoi être fière, elle peut ajouter une réussite à son CV!

***

Il n'y a pas d'âge pour affronter nos kilos en trop. Daphnée nous l'a prouvé à maintes reprises. Lorsqu'elle entre dans le bureau, toujours accompagnée de sa maman, je remarque un nouveau sac à main assorti à sa tenue. Je ne peux m'empêcher de sourire, revoyant la petite lors de notre première rencontre. «Tu es resplendissante, Daphnée!» Comme tout allait particulièrement bien, nous avions décidé d'espacer les dernières rencontres de plusieurs semaines. Cela me permet de vérifier la constance de la jeune fille. Quelques secondes sur l'appareil suffisent pour confirmer que le poids est stable. L'objectif est respecté, voyons son état d'esprit.

— Comment vas-tu, Daphnée? Tu as vraiment l'air d'une demoiselle en contrôle, est-ce que je me trompe?

— J'ai une surprise! Tu ne devineras jamais! explose-t-elle en sautant de joie.

— Une surprise? Dis-moi vite, je veux savoir!

— Depuis quatre semaines, chaque fois que je vais à la cafétéria, eh bien…

— Tu prends les demi-portions! C'est ça?

— Oui! Et en plus, tu ne me croiras pas! Plusieurs de mes amis ont commencé à les prendre aussi! C'est incroyable, hein!

— Ah! Daphnée, tu peux être fière de toi! Et j'ai devant moi la nouvelle «leader» de la cafétéria!

Nous éclatons toutes de rire, et Andréanne me donne une multitude de détails sur les réalisations de sa fille. Autant dans l'assiette que dans la vie parascolaire. C'est logique! Ne disait-on pas que tout se rejoint… et que nous sommes avec la fourchette comme nous sommes dans la vie?

Après avoir travaillé aussi fort, il est bon de savoir que la récompense n'est pas qu'un chiffre sur la balance! C'est la satisfaction ultime d'avoir accompli une prouesse. Celle de contrôler son poids… et sa vie!

***

Ma dernière consultation avec Maude est particulière. La jeune adjointe administrative exprime ouvertement sa reconnaissance, elle est convaincue qu'elle n'y serait jamais arrivée toute seule. «Comment aurais-je pu me débarrasser seule de ces épouvantables lundis soir à dévorer le sac de croustilles au complet? Je n'aurais jamais réussi ce tour de force!» Pour la dernière fois, je sens le besoin de stimuler sa confiance en elle. «C'est vous, Maude, qui avez tout fait! Nous ne pouvons pas être experts dans tous les domaines, mais vous avez su aller chercher l'aide qu'il vous fallait, et c'est une étape cruciale pour modifier un comportement qui nous déplaît.» Elle doit s'attribuer tout le crédit de ses efforts. «L'objectif est atteint, la professionnelle a fait son travail, rien de plus, que je lui explique, sans vos efforts et votre détermination, rien n'aurait été possible!»

Atteindre son poids santé et le contrôler est une toute nouvelle réalité pour Maude. Elle me parle abondamment de son amoureux, et tout semble indiquer que cette relation est stable et saine. Sa nouvelle autonomie est fascinante, tant avec la balance que dans sa vie personnelle. Dans ses commentaires, je ne sens plus la lourdeur d'essayer de plaire à tout un chacun au bureau. La jeune femme que j'ai devant moi s'assume pleinement et accepte qu'on ne puisse être aimé de tous. «Si, un jour, j'éprouvais des difficultés avec mon poids, je peux revenir vous voir, n'est-ce pas?» me demande-t-elle en souriant. «Quand vous voudrez, Maude!»

Quel étrange sentiment! Après avoir vécu les hauts et les bas de quelqu'un avec ses kilos en trop, le laisser aller est souvent un peu nostalgique. Les échanges sont toujours professionnels, bien entendu. Cependant, les émotions qui sont libérées pendant ces rencontres sont authentiques, et parfois lourdes de sens. Lorsque l'on soulève l'instrument pour regarder ce qui ne fonctionne pas, il faut s'attendre à tout. Des blessures superficielles à l'amour-propre, des frustrations refoulées, des désirs inassouvis, des rêves inachevés, tout cela contribue à forger notre personnalité. Nos expériences passées, notre bagage héréditaire et notre tempérament influencent notre façon de voir la réalité. Et notre poids est on ne peut plus réel! Cela explique pourquoi le chiffre sur l'appareil ne signifie pas la même chose pour chacun de nous. Certains le traitent avec désinvolture, ce ne sont que des kilos, après tout! Par contre, d'autres interprètent leur poids comme l'image qui est projetée d'eux-mêmes. Ce qui les rend vulnérables aux multiples stratégies qui existent pour remédier à cette situation délicate.

La partie n'est pas gagnée, au contraire, elle continue... et il n'y a pas de fin. Pas de gagnant ni de perdant. Juste des personnes décidées à mieux comprendre comment contrôler leur fourchette. Peut-être reviendront-elles un jour, parce qu'elles ont momentanément quitté la route et qu'elles ont besoin d'un coup de pouce pour reprendre leur chemin. C'est possible, et ce ne serait pas la fin du monde. Ce serait même le signe qu'elles n'ont pas tout oublié! En attendant, la roue continue de tourner. De nouveaux adeptes de la balance se présentent, avec leur propre questionnement et leurs incertitudes. On pourrait croire que c'est un éternel recommencement. Au contraire, tout est différent, chaque fois.

Les semaines passent, puis les années, amenant leur lot de nouveaux défis avec autant de personnalités différentes. Puis, un jour que je croyais comme les autres, je consulte mon horaire et je jette un regard rapide sur les noms qui y figurent. L'un d'entre eux attire particulièrement mon attention. Le premier sur la liste. Incrédule, mon regard fouille la salle d'attente, elle devrait y être. Nos regards se croisent, et elle vient à ma rencontre en ouvrant les bras. «Je suis vraiment heureuse de vous revoir!» dit-elle en me serrant très fort. C'est là que je remarque le joli ventre rond. «Bonjour, Maude! Mais quelle belle surprise!» Elle a les larmes aux yeux, sa joie est immense et son bonheur est extrême. «J'aimerais que vous me disiez comment doit se nourrir une future maman!»

Conclusion

Ainsi s'achève l'aventure. Mais est-elle vraiment terminée? Je ne le crois pas. Parce que nous évoluons sans arrêt, les expériences de la vie nous transforment et continuent de nous façonner. Cependant, une grande partie du travail a été faite. Nous avons appris comment aller chercher les réponses à nos questions, comment calmer nos incertitudes et, surtout, de quelle façon maîtriser nos démons. Toutes ces ressources, nous l'avons vu, sont à l'intérieur de nous. Pas besoin de chercher bien loin! La vraie difficulté est de savoir comment nous y prendre pour les atteindre. La première étape à franchir est de prendre conscience de notre plein potentiel. Nous sommes une mine d'or de volonté et de détermination. Il suffit de choisir les bons objectifs!

Depuis le début, nos amis avaient mal cerné leurs propres cibles. La réponse à la question «pourquoi je veux maigrir» ne reflétait pas leurs vraies aspirations. Comment alors la motivation aurait-elle pu être au rendez-vous? Assurément, il faut une raison plus que convaincante pour fournir les efforts nécessaires à un changement d'habitudes alimentaires. Mais souvent, nous le comprenons à force d'échecs exténuants. Qui pourrait croire que la balance en mène si large!

Entreprendre la lutte aux rondeurs demande un temps d'arrêt. Une pause devant le grand miroir de la vie, celui qui nous renvoie notre image, fait toute la différence. Peu importe la stratégie qui sera utilisée, il est primordial de bien comprendre l'état d'esprit sous-jacent à un surplus de poids pour certaines personnes. Notre instrument fait vibrer des cordes sensibles, c'est indéniable. L'univers des kilos regorge d'émotions de toutes sortes. Florence y évacuait son stress quotidien, Maude y voyait son rêve de fonder une famille. Et Christopher croyait y trouver une brillante carrière, rien de moins! Cette même balance tenait entre ses rouages la vie de Michel, et Daphnée y engloutissait son estime de soi. Ce ne sont que quelques-uns des différents visages que peut prendre l'instrument. En fait, c'est un miroir pour chacun de nous! Cet instrument nous renvoie à la figure nos forces, mais surtout nos faiblesses, nos espoirs et nos déceptions.

J'ai choisi de créer ces personnages pour nous montrer à quel point nos émotions entrent en jeu. Mon objectif était de faire vivre concrètement les hauts et les bas qui nous habitent lorsque la balance gravite dans notre univers. Bien sûr, ce livre aurait pu n'être qu'une suite de théories alignées les unes après les autres. Mais le risque était trop grand de passer à côté de l'essentiel… encore une fois. Nous avons vu comment se traduit dans le quotidien de nos amis ce qu'est vraiment la réalité d'un duel avec la balance. En entrant dans leur intimité, nous avons pu constater jusqu'où s'étendent les tentacules des kilos en trop. Ce ne sont que de petits bourrelets, il n'en tient qu'à nous de leur redonner leur juste place. Mais d'abord, nous devons interpréter les signes qu'ils nous lancent.

Daphnée, Christopher et les autres nous sont maintenant familiers, parce que nous avons appris à les connaître par ces aventures et difficultés qu'ils ont traversées. Leurs peurs, leurs frustrations sont devenues les nôtres. Nous avons vécu leurs joies et leurs déceptions tout au long du processus de perte de poids. Nous avons pu ressentir le désarroi du début. Et que dire du soulagement de la fin! Ces gens attachants sont devenus des complices parce que, comme nous, ils ont vécu de nombreuses difficultés pour arriver à leur objectif. Nous avons l'impression qu'entre nous, les rescapés des kilos, les mots ne sont pas nécessaires pour comprendre les émotions qui nous assaillent.

Les situations que j'ai mises en lumière avec eux ne visent qu'un objectif. Il est impératif de prendre conscience que, dans l'univers du poids, la confiance en soi et la gestion de nos émotions sont essentielles. Elles sont la base de l'équilibre, rien de moins. Car sans ces précieuses qualités, le contrôle de la fourchette est impossible! Après tout, nous sommes avec la balance... comme nous sommes dans la vie!

En fait, il n'est pas étonnant que nous nous sentions si proches de cette adjointe administrative, ou de l'avocat, ou des autres, parce que, en réalité, Daphnée, Florence... c'est vous, c'est moi, c'est nous. Des gens qui veulent enfin comprendre ce que leur dit la balance, haut et fort. Parions que son langage est un peu plus clair maintenant!

Achevé d'imprimer
sur les presses de
Imprimerie H.L.N.
Imprimé au Canada - Printed in Canada